7.50
Picasso,
le sage et le fou
DÉCOUVERTES GALLIMARD
D0042568

Le 18 juillet 1936, en Espagne, le général Franco, à la tête d'une poignée de militaires, renverse par un coup d'État le gouvernement républicain de *Frente popular* en place depuis peu.
Les militaires tentent aussitôt d'instaurer une dictature fasciste.

Les républicains espagnols
ripostent immédiatement et prennent les armes
contre les franquistes.
La guerre civile va durer trois ans
et faire plus d'un million de morts.
Elle sera le prélude à la Seconde Guerre mondiale.

En mars 1937, l'Allemagne envoie du renfort à l'Espagne : plus de cinq mille soldats, des tanks, des armes et surtout les avions Heinkel 51 et Junker 52 de la légion d'élite Condor. Jusqu'à la fin de mars 1937, la lutte pour l'Espagne reste essentiellement centrée autour de Madrid. Les troupes républicaines opposent une résistance dure mais elles sont peu à peu contraintes de reculer.

Pendant plus d'un mois, les Junker pilonnent sans répit les îlots de résistance et mettent le pays à feu et à sang.
De France, d'Angleterre, des États-Unis et de nombreux pays d'Europe, des volontaires partent pour l'Espagne.
Contre la menace grandissante du fascisme, les Brigades internationales prennent les armes aux côtés des républicains espagnols.

Au printemps 1937, les troupes du général Mola foncent sur le Pays basque espagnol, un des bastions des républicains. Le 30 mars, Mola lance un ultimatum à la radio : «J'ai décidé de mettre un terme rapide à la guerre dans le Nord. Ceux qui ne seront pas coupables d'assassinat auront la vie sauve et se verront maintenus dans leurs biens. Mais si la soumission n'est pas immédiate,

je détruirai entièrement la Biscaye.»
Le 31 mars, 50 000 hommes en armes marchent sur le Pays basque. En face, l'armée républicaine du Nord. Pauvrement équipée, secondée par les Brigades internationales, elle ne compte que 45 000 hommes. Durango tombe. Prochain objectif: Guernica. Le 25 avril 1937, le front en est à 35 kilomètres.

Lundi 26 avril 1937. C'est jour de marché à Guernica. En plus des dix mille habitants de la ville, il y a aujourd'hui tous les paysans de la région venus vendre leurs produits. A 16 h 30, les cloches de l'église Santa Maria se mettent à sonner à toute volée. Des escadrilles apparaissent dans le ciel. On se précipite dans les caves. Un premier avion décrit un cercle à basse altitude et jette six grosses bombes.

Puis un autre... Trois Junker rasent à présent la petite ville en lançant des torpilles aériennes de mille kilos. Les escadrilles se suivent par vagues, arrosant les maisons éventrées de bombes incendiaires. Le bombardement est massif et ininterrompu. A 8 heures du soir, Guernica n'est plus qu'un immense brasier d'où sortent encore des cris. Les flammes se reflètent jusqu'aux nuages.

Mardi 27 avril. Guernica agonise, Guernica est morte : la ville vient d'être entièrement, systématiquement détruite. Guernica et toute la région alentour : dans un rayon de 10 km autour de la ville, toutes les fermes, tous les villages ont été incendiés les uns après les autres. Dans la nuit, ils ont continué de brûler comme des torches au flanc de la montagne. Les paysans qui tentaient de s'enfuir à travers champs ont été poursuivis par les avions de chasse

qui ont mitraillé pêle-mêle sur les routes vieillards, femmes, enfants.
Mille six cent soixante morts. Huit cent quatre-vingt-dix blessés. Des milliers de sans-abri qui errent dans les ruines fumantes. A l'aube du mercredi 28 avril, ce qui était il y a à peine quarante-huit heures une ville riante, la capitale historique du Pays basque, n'est plus que cendres et larmes.

Dans les jours qui suivent, la France, l'Europe et le monde entier apprennent l'horreur par les agences de presse, les journaux, la radio, les films d'actualité.

«La tragédie de Guernica, la ville détruite par une attaque aérienne. Récit d'un témoin oculaire.»

The Times, 28 avril 1937.

«Dans les ruines de Guernica, notre envoyé spécial visite les survivants.»

Ce Soir, 29 avril 1937.

«Guernica détruite de fond en comble par les avions.»

Paris-Soir, 29 avril 1937.

«Vision de Guernica en flammes.»

Ce Soir, 1er mai 1937.

«Avant-hier, la ville basque historique de Guernica a été anéantie par un bombardement aérien.»

Paris-Soir, 1er mai 1937.

«Le martyre de Guernica.»

L'Aube, 2 mai 1937.

Au moment où la Légion Condor assassine Guernica, Picasso se trouve dans son atelier à Paris, à 1000 km de distance. Le 1er mai, trois photos de Guernica à la une du journal *Ce Soir* le bouleversent. Picasso prend ses pinceaux. Il tend sa toile jusqu'aux plus hautes poutres de l'atelier.

Six mètres d'envergure. Le 4 juin, *Guernica* sort de l'atelier. L'écrivain Michel Leiris dit : « Picasso nous envoie notre lettre de deuil. Tout ce que nous aimons va mourir. » Le plus grand tableau tragique du XXᵉ siècle vient de voir le jour. Picasso ne retournera plus jamais en Espagne.

Marie-Laure Bernadac, née le 11 février 1950, est conservatrice au musée Picasso depuis 1981. Elle est l'auteur de l'album *le Musée Picasso* (RMN 1985) et coauteur du catalogue du musée Picasso (RMN 1985). Elle est également coauteur du film réalisé par Didier Baussy : *Picasso* (1986).
Paule du Bouchet, née le 19 avril 1951, a été journaliste à *Okapi,* Bayard-Presse, de 1978 à 1985. Elle est l'auteur de plusieurs ouvrages pour jeunes.

Pour Agathe et Yacine

Responsable de la rédaction Paule du Bouchet
Maquette Jean-Claude Chardonnet
Documentation Anne Lemaire
Illustration Romain Slocombe
Correction Dominique Froelich, Odile Gandon, Marianne Bonneau

Coordination Elizabeth de Farcy

Dépôt légal: Avril 1987
1er dépôt légal: Octobre 1986
Numéro d'édition: 40505
ISBN 2-07-053016-7
Imprimé en Italie

Composition Sophotyp, Paris ; Tygra, Paris
Photogravure Fotocrom, Udine
Impression Editoriale Libraria, Trieste
Reliure Zanardi, Padoue

PICASSO
LE SAGE ET LE FOU

Marie-Laure Bernadac
Paule du Bouchet

DECOUVERTES GALLIMARD
PEINTURE

Le 25 octobre 1881, il est presque minuit, 23 h 15 exactement, quand Picasso vient au monde, dans une grande maison blanche de Málaga, au sud de l'Espagne. Ce 25 octobre-là, une étrange combinaison d'astres et de lune rend le ciel de minuit particulièrement clair et répand sur les maisons endormies une extraordinaire lumière blanche.

CHAPITRE PREMIER

UNE ENFANCE ESPAGNOLE

Le *Picador* est le premier tableau connu de Picasso, fait à l'âge de 8 ans, à la peinture à l'huile, sur bois. Picasso le conserva toute sa vie, bien qu'il fût un peu abîmé. A 14 ans, Picasso fait ce portrait de sa mère, un pastel peint à Barcelone.

Le petit garçon né sous cette étrange lumière reçoit le nom de Pablo Ruiz Picasso. Selon la tradition espagnole, il porte les patronymes de son père Ruiz, et de sa mère, Picasso. En réalité, le jour très solennel du baptême en l'église Santiago, il reçoit les noms de Pablo, Diego, José, Francisco de Paulo, Juan Nepomuceno, Maria de los Remedios, Cipriano de la Santissima Trinidad. C'est la coutume à Málaga de doter les enfants du plus grand nombre de noms possible. Autant de noms, autant de dons ? Peut-être...

Ses deux parents sont espagnols, et du sang le plus pur. Sa mère, Maria Picasso Lopez, est de type andalou jusqu'à la racine des cheveux, qu'elle a presque bleus à force d'être noirs... Son père, José Ruiz Blasco, est andalou lui aussi, mais de ces Andalous de l'autre extrême, grand, maigre, roux, presque anglais à force d'être roux... Le tissu même de contradictions dont est fait le peuple espagnol. Et avant ces parents-là, toute une immense et foisonnante famille aux membres aussi différents que les pierres disparates d'un mur ancien : des prêtres et des artistes, des instituteurs, des juges, des petits fonctionnaires, des nobles désargentés. Picasso aura tout. Tous ses fougueux ancêtres. Toute l'Espagne est en lui.

Premiers dessins de pigeons, en 1890, à l'âge de 9 ans. Le fils copie alors le père : don José peint beaucoup d'oiseaux et pour lui servir de modèle, il élève colombes et pigeons qui volent librement dans toute la maison. Picasso gardera jusqu'à sa mort une tendre prédilection pour les colombes.

Les tout premiers dessins de Picasso sont... des pattes de pigeon qu'il exécute pour son père

Don José, le père de Picasso, est peintre. Spécialisé dans la décoration des salles à manger, ses motifs préférés se composent invariablement de plumages, de feuillages, de perroquets, de lilas, et surtout de pigeons. La Plaza de la Merced, où vit la famille Ruiz, est ombragée de platanes où nichent des milliers et des milliers de pigeons. Don José peint sans relâche les pigeons de la place. Il en parsème ses tableaux, les agence harmonieusement dans ses compositions.

Et les pigeons sont aussi les premiers compagnons du tout petit Pablo. Lui, il ne marche pas encore, il ne parle pas encore, mais il voit. Il ne sait pas parler mais il regarde les choses avec une attention si passionnée qu'elle lui fait prononcer son premier mot : « *Piz, piz !* ». Ce n'est pas un mot, c'est un ordre : « *Lapiz !* » (crayon !). Qu'on lui donne un crayon ! Comme son père qui dessine les pigeons des arbres, les arbres aux mille branches qui sont autant de crayons dans sa fenêtre, des crayons qui sont comme des perchoirs à pigeons !

Picasso a su dire «crayon» avant d'avoir pu aller chercher un crayon lui-même. Il sait dessiner bien avant de savoir parler. Et il sait parler bien avant de savoir marcher.

Il apprend à marcher un peu plus tard, en poussant devant lui une boîte de biscuits Olibet. Une boîte carrée, fermée, un cube. Mais le tout petit Pablo, qui est pourtant encore bien loin d'être l'inventeur du cubisme, sait parfaitement ce qu'il y a dans le cube : des biscuits ! Et c'est pour cela qu'il faut marcher... Les pigeons sont donc venus avant les cubes. Et, quelques années plus tard, quand don José, émerveillé par les dons de son fils, lui abandonne peu à peu ses pinceaux, il commence par lui abandonner... les pattes de ses pigeons. Un soir, don José laisse à son fils une grande nature morte à achever. Il trouve à son retour les pigeons entièrement terminés, et leurs pattes sont si vivantes que don José, tout ému, donne brusquement à Pablo sa palette, ses brosses et ses couleurs, se disant que le talent de son fils est plus grand que le sien et que désormais il ne peindra plus.

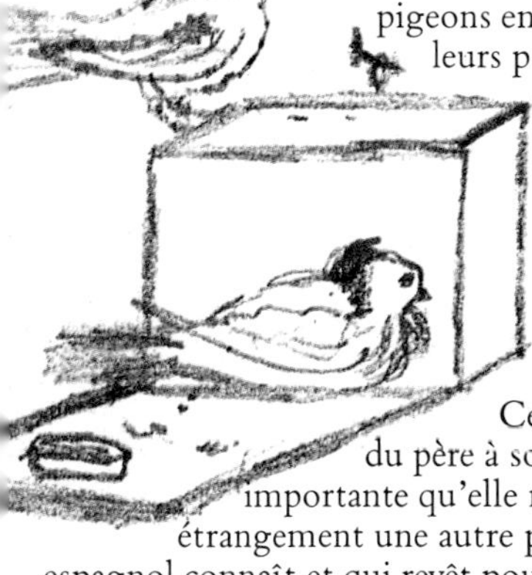

Cette passation de pinceaux du père à son fils est beaucoup plus importante qu'elle n'en a l'air ! Elle rappelle étrangement une autre passation que tout garçon espagnol connaît et qui revêt pour lui une portée extrême : celle qu'on appelle l'« alternative », c'est-à-dire le moment où l'apprenti torero devient un vrai matador, capable de tuer son *toro*. Pablo connaît la corrida depuis à peu près aussi longtemps que les

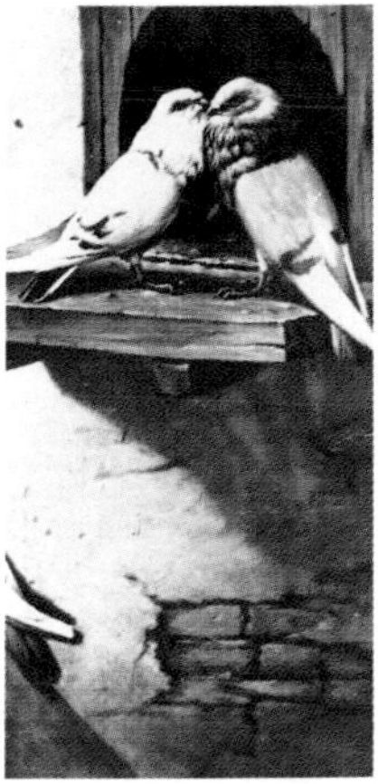

Ce tableau est l'œuvre de don José Ruiz Blasco qui, dans les années 1890, exerce en principe la fonction de conservateur du musée de Málaga. Mais il ne conservera jamais rien, le musée restant, faute de crédits, à l'état de projet... Bienveillant, réservé, discret, don José peint sans grande conviction des tableaux très réalistes que Picasso qualifiera plus tard de «tableaux de salle à manger».

pigeons ; don José y a amené son fils dès son plus jeune âge. Et il lui a transmis sa passion pour l'arène éclatante, vibrante, pour le taureau sauvage et fumant, pour le sang rouge qui prend une si extraordinaire couleur sur le noir velouté du taureau, pour les « olés ! » hurlés, pour les éventails qui sont comme les ailes de la foule, et pour le corps cambré du toréador dans la lumière...

Cette photographie de Picasso a été prise en 1896, à son arrivée à Barcelone. Il a 15 ans ; ses cheveux coupés court accentuent l'intensité de son regard.

A quatorze ans, Picasso traverse l'Espagne et découvre les grands trésors de la peinture espagnole

En 1891, don José accepte un poste de professeur de dessin à La Corogne, tout au nord de l'Espagne, sur la côte Ouest. En plus de Pablo, la famille compte maintenant deux petites filles, Conception et Lola. A La Corogne, le temps est gris. L'Atlantique est froid, il souffle un vent de brume et de pluie qui éteint toute lumière. Dès qu'il a vu La Corogne, don José a décidé qu'il haïssait cette ville. Et, à peine quelques mois après leur arrivée, la petite Conception meurt de la diphtérie. Cette mort achève de rendre la ville odieuse à don José.

Pour Pablo, ce déménagement au nord a un effet bien différent. Ils habitent juste en face de l'école d'art où enseigne son père, et Pablo n'a que la rue à traverser pour aller dessiner, peindre, essayer toutes les techniques que son père enseigne à ses élèves. Il dessine tellement qu'il maîtrise en très peu de temps la technique du dessin au fusain, qui permet de modeler l'ombre et la lumière. Mais il n'apprend rien à l'école : à onze ans passés, même les

La Jeune Fille aux pieds nus, 1895. Picasso a 14 ans lorsqu'il exécute ce portrait, à La Corogne. « Les pauvres filles de chez nous vont toujours pieds nus et la petite avait les pieds couverts d'engelures », dit-il. Le traitement est réaliste et traditionnel mais on sent déjà la maturité d'un peintre qui sait exprimer la gravité d'un regard, la tristesse d'une attitude.

rudiments les plus élémentaires comme la lecture, l'écriture et le calcul lui donnent beaucoup de difficultés.

Et le jour décisif où Pablo doit passer son certificat, force lui est de répondre à l'examinateur qu'il ne sait rien, vraiment rien, non... Comme le monsieur est gentil et compréhensif, il trace sur le tableau les colonnes de chiffres que Pablo aurait dû tracer sur sa feuille et lui demande, gentiment, «au moins» de les copier. Cela, Pablo sait faire ! Il copie trait pour trait les chiffres du tableau. Il copie parfaitement, c'est même beaucoup plus joli que ce qu'a fait l'examinateur... Pablo est content ; il pense à la fierté de ses parents, au pinceau qu'il aura en récompense.

Mais, ensuite, il faut additionner, tracer une barre et mettre quelque chose en dessous ! Heureusement, le maître a écrit le total sur son buvard et Pablo recopie les chiffres à l'envers. Il sera toujours très fort pour cela... Plus tard, il «croquera» ainsi les visages de ses amis attablés en face de lui, à l'envers pour que le dessin soit dans le bon sens. En tout cas, ce jour-là, Pablo rentre triomphalement chez lui, son certificat sous le bras. Tout en marchant, il calcule comment il peindra le pigeon entier que son père lui laissera peut-être exécuter. «L'œil du pigeon est rond

L*a Corrida,* 1894. Les dessins d'enfance de Picasso représentent très souvent des corridas, son spectacle favori. Il y assiste dès l'âge de 5 ou 6 ans, sur les genoux de son père pour ne payer qu'une seule place. Picasso gardera toute sa vie une passion pour les corridas, auxquelles il se rendra presque rituellement chaque année, et qui ne cesseront jamais d'apparaître dans son œuvre.

comme un zéro. Sous le zéro, un six ; au-dessous, un trois. Les yeux, il y en a deux, les ailes aussi. Les deux pattes placées sur la table : posées sur la barre de l'addition. Le résultat est en dessous. » Mais le vrai résultat, pour Pablo, c'est le tableau qu'il va pouvoir peindre.

Au début de l'été 1895, la famille Ruiz fait ses malles et part passer les vacances à Málaga. On s'arrête à Madrid, où don José emmène son fils au musée du Prado. Là, c'est l'éblouissement : Vélasquez, Zurbarán, Goya ; Pablo aperçoit pour la première fois les trésors de la grande peinture espagnole.

A Barcelone, Picasso passe le concours d'entrée à l'École des beaux-arts. Le jury est stupéfié par ce garçon prodige

A la rentrée scolaire, la famille Ruiz prend pour la deuxième fois le chemin du nord. Mais cette fois c'est pour Barcelone, où don José vient d'être nommé à l'École des beaux-arts. Barcelone, c'est la capitale de la Catalogne, une grande cité chargée d'histoire : une ville adossée à l'Espagne et riche de culture espagnole, mais aussi une ville ouverte depuis toujours sur le reste de l'Europe.

A Barcelone, en cette fin du XIXe siècle, on parle catalan, comme dans le sud de la France, la langue d'oc. Depuis 1855 un puissant courant artistique et culturel circule entre Barcelone et la France : les « cercles » de Barcelone sont envahis par les Français, et bon nombre d'intellectuels catalans sont partis à Paris.

Picasso aime tout de suite Barcelone. Ce n'est pas La Corogne au nom gris comme la grisaille qui la recouvre en permanence. Ce n'est pas Málaga, superbe et solitaire sur son rocher. C'est une ville grouillante de vie, riche et généreuse, pleine de gens de toutes sortes, hauts en couleur, libres. Une vraie ville. Pour Pablo, à Barcelone, la vie s'ouvre à deux battants. L'École des beaux-arts où don José est maintenant professeur de dessin s'appelle La Lonja. C'est une vieille académie aux traditions rigides : on y apprend essentiellement l'« antique » en copiant inlassablement de vieux moulages de plâtre.

Pablo a tout juste quatorze ans. En principe, il est trop jeune pour être admis à l'école. Mais, sur l'insistance de son père, on lui permet de passer le concours d'entrée. « Antique, Nature, Modèle vivant et Peinture » : c'est le programme du concours... Et quand Pablo se présente, le jury est stupéfait : en une journée, le gamin a terminé l'épreuve pour laquelle on accorde d'ordinaire un mois entier aux étudiants. Et il l'a fait avec une telle maîtrise, une telle précision qu'aucun membre du jury n'hésite : ce garçon est un prodige.

Dès les premiers cours à l'école de La Lonja, Pablo se lie d'amitié avec un autre peintre, Manuel Pallarès. Une amitié qui lui apporte certainement plus que les laborieux cours de l'école, car Pablo est plus souvent dans son atelier, Calle de La Plata, à faire des portraits de son ami peintre, à parler pendant des heures de leurs travaux respectifs, que dans les locaux de l'École des beaux-arts.

A Horta de San Juan, Picasso découvre avec bonheur la sauvage campagne catalane

Automne 1897. Pablo a seize ans et déjà le sentiment aigu qu'il lui faut échapper aux influences trop proches : l'école et son académisme, son propre père qui fait un peu trop souvent le détour par l'atelier...

Début octobre, Pablo part seul pour Madrid. Il se présente au concours de l'Académie royale. Succès aussi éclatant qu'à Barcelone. Et tout aussi fulgurant : comme à La Lonja, en un seul jour, il exécute d'extraordinaires dessins. A seize ans, Pablo Picasso a épuisé toutes les épreuves des Écoles des beaux-arts d'Espagne.

C'est la deuxième fois qu'il se trouve à Madrid. Mais, cette fois, c'est seul et sans argent. Il trouve un minuscule logement au centre de la ville. Et il se met immédiatement à la peinture... Sans bois pour

En haut, *Torse d'homme,* 1893-1894. A l'École des beaux-arts de Barcelone, Picasso suit un enseignement classique et copie des moulages antiques. La perfection de ses dessins étonne ses maîtres. «Je n'ai jamais fait de dessins d'enfant, à 12 ans je dessinais comme Raphaël...» Les deux autoportraits du bas font partie d'un ensemble d'études dessinées entre 1897 et 1899. Picasso donne ici de lui l'image même de l'artiste bohème qu'il est à l'époque : chapeau noir, cravate en désordre, costume fripé, mèche rebelle.

se chauffer, sans feu – et c'est l'hiver –, sans grand-chose à se mettre sous la dent, il travaille sans relâche, exalté, enfiévré par sa nouvelle indépendance. Il travaille trop et ne mange pas assez, l'hiver est dur et dure trop longtemps. Au printemps, Pablo tombe gravement malade. Il regagne Barcelone.

Été 1898. Son ami peintre Manuel Pallarès l'a invité à venir se rétablir dans le village de ses parents, Horta de San Juan, dans la sauvage région de l'Ebre. C'est la première fois que Pablo rencontre vraiment la campagne. Il apprend les travaux des champs, les animaux, la nature, la lune, le pressoir à huile, la lenteur des charrettes à ânes chargées d'amandes.

Quand la chaleur devient intolérable, les deux jeunes peintres prennent le chemin de la montagne et s'installent dans une grotte, achetant leur nourriture dans une ferme. Là, dans l'ombre et la fraîcheur, ils peignent des jours entiers. L'été prend fin et aussi le séjour à Horta. Ce moment a été si important que bien des années plus tard Pablo dira encore : « Tout ce que je sais, je l'ai appris au village de Pallarès. »

Au printemps de l'année suivante, Pablo fait à Barcelone une rencontre décisive : Jaime Sabartès, un jeune poète, va devenir au cours des années l'ami le plus fidèle, l'ami de toute sa vie.

Au tournant du siècle, Barcelone est un des creusets de la vie intellectuelle européenne. On y célèbre le « modernismo » à travers une floraison de revues comme *Pel i Ploma* (Pinceau et Plume), *Joventut* (Jeunesse), *Catalunya Artistica* ou *Arte Joven* (Jeune Art) dont Picasso sera même directeur artistique en 1901. Ces mêmes revues sont aussi les organes d'expression du mouvement anarchiste, solidement implanté à Barcelone. « Barcelone était la capitale de l'anarchie, l'endroit où les forces anarchistes, alors montantes dans toute l'Europe, devaient arriver à avoir une prépondérance indiscutable au sein de la classe ouvrière », écrit un contemporain. L'effroyable misère qui règne alors dans les bas quartiers de la ville contribue à entretenir un climat de violence sociale qui se traduit fréquemment par des émeutes et des attentats.

A la taverne *Els Quatre Gats*, en plein cœur de Barcelone, Picasso rencontre le bouillant milieu des artistes catalans et fait sa première exposition

Depuis deux ans s'est ouverte à Barcelone une taverne artistique et littéraire : *Els Quatre Gats*. Le patron, un amoureux de Paris, l'a appelée comme cela en souvenir du fameux cabaret de Montmartre Le Chat Noir. Il se trouve à deux pas du Barrio Chino, ce quartier joyeux et sordide du vieux Barcelone où artistes, rebelles politiques, poètes et vagabonds vivent la nuit, attendent de voir le jour blême se lever... Rien de moins chinois, rien de plus espagnol que le Barrio Chino, avec ses rues sinueuses et grouillantes, ses *bodegas* enfumées où, sous les voûtes basses, résonnent les voix graves des chanteurs de flamenco, ses cabarets sombres n'ouvrant qu'après minuit, ses guitares à la ponctuation aiguë ou chaude, ses music-halls, ses filles de rue... Dans la salle basse du *Quatre Gats* se tiennent parfois de petites expositions. C'est là que, le 1er février 1900, Picasso expose pour la première fois : 150 dessins épinglés sur les murs gras et enfumés de la longue salle. Ce sont pour la plupart des croquis de ses amis artistes, poètes et musiciens.

Chapeau noir, large cravate et gilet court, veste sombre et pantalon serré aux chevilles, c'est vraiment l'uniforme de la troupe turbulente et brillante qui se retrouve presque tous les jours aux *Quatre Gats*. Picasso en est devenu très vite le centre, le personnage principal.

Dès les premiers moments, il y a ceux qui l'admirent et ceux qui le détestent. Le caractère de Pablo n'est pas facile : tout noir ou tout blanc, emporté dans ses opinions, taciturne et secret dans ses convictions les plus profondes, sombrement enfermé en lui-même ou débordant de joie de vivre. Son monde intérieur est peint de contrastes et cela se voit. Ceux qui l'aiment l'aiment pour cela. Ceux qui le détestent aussi.

A la fin de l'été 1900, Pablo éprouve de plus en plus fortement la nécessité d'échapper à un milieu, d'être lui-même. Il faut partir, quitter Barcelone. Au mois d'octobre, avec son nouvel ami Carlos Casagemas, il prend le train pour Paris.

Le célèbre café *Els Quatre Gats* doit son nom au *Chat Noir* de Montmartre autant qu'à l'expression catalane «il n'y a pas quatre chats» là où le français dit «il n'y a pas un chat».
En 1899, Picasso dessine la couverture du menu. Il y interprète avec humour le style des illustrateurs anglais de la fin du siècle, tout en évoquant la touche d'un peintre qu'il admire, Toulouse-Lautrec.

4CATS

Le temps de la couleur

Les toiles de la période bleue sont parmi les plus connues et, souvent, les plus aimées de l'œuvre de Picasso. Sans doute parce que les personnages représentés y apparaissent «conformes» à la réalité, ressemblant le plus à «ce que l'on voit». Sans doute aussi parce que les sujets des toiles sont facilement identifiables et expriment des sentiments immédiats. Pourtant, si l'on regarde attentivement ces tableaux, on s'aperçoit qu'il s'agit d'une vision toute personnelle de Picasso, bien plus que d'une reproduction fidèle de la réalité.

La Vie, 1903. C'est le plus grand des tableaux «bleus». Un tableau qui est en même temps un symbole. D'un côté, un couple nu, de l'autre une mère décharnée semblent là pour dire que la vie en ses plus grands moments l'amour et la maternité n'est que désolation. Entre l'homme et la mère, deux études de nus recroquevillés rappellent que la création est présente. La création c'est-à-dire l'art. Et pour Picasso l'art est ce qui sauve de la mort. L'art est la vie.

Autoportrait, 1901. Picasso n'a que vingt ans. Et pourtant, ce portrait qu'il fait de lui le vieillit considérablement : les joues creusées, la barbe hirsute, les yeux hagards expriment la solitude et la détresse d'un homme mûr qui a vu la vie.

La période bleue

Entre 1901 et 1904, Picasso voit tout en bleu, comme s'il interposait un filtre entre lui et le monde. Tout ce bleu n'est pas choisi au hasard. Il exprime un sentiment précis, particulier. Le bleu est la couleur de la nuit, de la mer, du ciel. C'est une couleur profonde et froide, une couleur en harmonie avec le pessimisme et la misère, avec un certain désespoir, par opposition au jaune et au rouge, couleurs chaudes qui expriment la vie, le soleil, la chaleur.

Le repas de l'aveugle, 1903. Le thème de l'aveugle obsède Picasso à cette époque. L'aveugle n'a pas la vue mais il a le toucher : Picasso a donc donné à ses mains une grande importance. Pour un peintre dont tout le travail réside dans le regard, dont tout le pouvoir est dans l'œil, la cécité est la pire des infirmités. Mais surtout, Picasso veut indiquer par ce thème que le vrai regard, c'est la vision intérieure : ce que l'artiste voit et sent lorsqu'il a compris que l'extérieur n'est qu'apparence.

Picasso

Couleur d'aube

La période rose, qui s'étend de 1904 à 1906, est ainsi appelée à cause des couleurs ocre et rose pâle qui dominent dans les toiles ; à cause aussi de la tendresse, de la fragilité qui émane des personnages représentés. Ce sont le plus souvent des acrobates et des saltimbanques, des artistes marginaux et vulnérables dont tous les gestes parlent de grâce et d'humilité.

L'*Acrobate à la boule,* 1905. Un athlète dont on voit le large dos musclé est assis sur un cube. Il regarde une fillette debout sur une boule. Ses bras levés dans un geste gracieux et son corps déhanché suggèrent l'équilibre précaire qui la fait tenir. Le tableau évoque une opposition : d'un côté la force, la stabilité, la maîtrise , de l'autre la légèreté, l'agilité et la grâce. Deux formes géométriques, le carré et la boule, résument cette opposition. Le décor est simplifié : au loin un cheval et des personnages, se détachant sur des bandes de paysage.

L*a Repasseuse,* 1904. Une jeune femme s'appuie avec lassitude sur son fer à repasser. Corps maigre, visage triste, fatigué. Certaines toiles sont à mi-chemin entre les périodes bleue et rose : le sujet de *la Repasseuse* reste celui de la «période bleue» (pauvreté, misère, effort), mais les couleurs de la palette commencent à s'éclaircir vers les roses et les gris.

La période rose

A partir de 1905 l'univers de Picasso s'éclaire et la vie semble reprendre le dessus. Il va tous les soirs au cirque Medrano dont les acrobates et les saltimbanques le fascinent. Il les prend désormais comme modèles. Il s'intéresse toutefois plus à leur vie quotidienne qu'au spectacle proprement dit. L'arlequin avec son costume à carreaux devient un de ses thèmes préférés.

Arlequin et sa compagne, 1901. *Les Saltimbanques*, 1905. En deux tableaux différents et à quatre années de distance, les voici tous réunis, ces enfants de la balle que Picasso aime tant. Rêveurs et un peu tristes comme les clowns, peut-être légèrement enivrés, Arlequin et sa compagne (à gauche) rêvent. Les saltimbanques (à droite) sont les véritables compagnons de voyage du Picasso de la période rose : l'arlequin avec son costume à carreaux, le vieux bouffon avec son bonnet pointu, les deux enfants, l'acrobate en maillot, la danseuse avec son panier à fleurs, un jeune garçon et une femme avec un chapeau assise dans un coin. «Mais qui sont-ils, dis-moi, les errants, ces hommes un peu plus fugitifs encore que nous-mêmes» a écrit le poète Rainer Maria Rilke à propos de ce tableau.

Couleur arlequin

Le Joueur d'orgue de Barbarie, 1905.
La Famille d'acrobates au singe, 1905. *L'Acteur,* 1904.

« A Rome, au moment du Carnaval, il y a des masques (Arlequin, Colombine ou *Cuoca francese*) qui, le matin, après une orgie terminée parfois par un meurtre, vont à St-Pierre, baiser l'orteil usé du prince des apôtres.
Voilà des êtres qui enchanteraient Picasso. Sous les oripeaux éclatants de ces saltimbanques sveltes, on sent vraiment des jeunes gens du peuple, versatiles, rusés, adroits, pauvres et menteurs. »

Guillaume Apollinaire, *Picasso, peintre et dessinateur,* Paris 1905.

« La couleur bleue devient plus rare, laissant accès à d'autres couleurs, claires et sans empâtements, à des taches laiteuses de gouache, isolées, sans apport d'air ou morsure de lumière. Ce sont les couleurs des pièces des vêtements d'arlequin, perçues comme une chose, comme un objet qui en recouvre un autre. Tel le coloriage d'une estampe, elles restent un peu étrangères au milieu, dosées d'une manière exquise – un peu trop exquise parfois – dans des lignes de contour pleines de brisures et qui tremblent légèrement sous une haleine invisible (...). »

Cesare Brandi, *Carmine, o della pittura,* Florence, 1947.

Picasso

L'année 1900, Picasso a dix-neuf ans. Paris est son premier séjour à l'étranger. Et pour lui, Paris c'est d'abord Montmartre, où il s'installe tout de suite. Montmartre, le quartier de Paris auréolé du plus grand des prestiges. Quand il arrive, Pablo ne parle pas un mot de français, mais c'est l'automne, un glorieux automne. Paris est en beauté, Picasso est émerveillé.

CHAPITRE II

FOLLES ANNÉES A MONTMARTRE

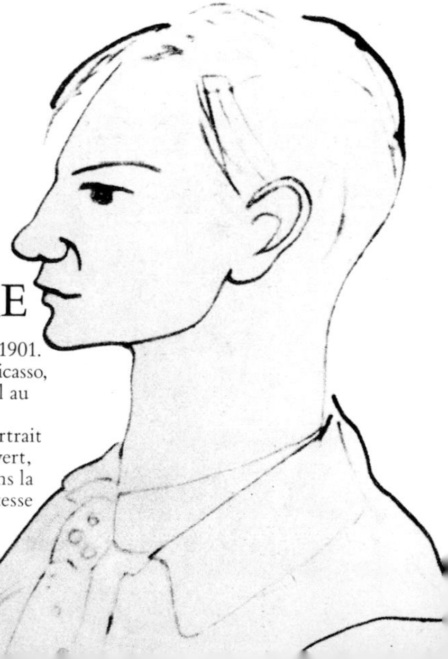

Portrait de Sabartès, 1901. Un soir, l'ami de Picasso, Jaime Sabartès est seul au café ; Picasso entre, l'aperçoit et fait ce portrait de son ami. Il y a du vert, du blanc, du jaune dans la toile, mais déjà la tristesse s'installe et les mains s'allongent. A droite, *Autoportrait,* 1902.

Portrait de Casagemas, Paris 1901. La mort de son ami Carlos Casagemas a bouleversé Picasso. Il évoque ce tragique événement à travers plusieurs toiles qui sont parmi les plus étranges de cette période. Dans ce «Portrait», il a peint de mémoire le visage blême du mort éclairé par une bougie dont la lumière rayonne comme dans les peintures de Van Gogh. La tempe est marquée par la trace de la balle meurtrière.

Au bout de quelques mois, Pablo connaît tous les musées de Paris sans exception. Il passe de longues heures devant les impressionnistes du Luxembourg ; au Louvre, il découvre Ingres et Delacroix, étudie avidement Degas, Toulouse-Lautrec, Van Gogh, Gauguin. Il est fasciné par l'art des Phéniciens et des Égyptiens, à cette époque considéré comme parfaitement inintéressant et «barbare». Les sculptures gothiques du musée de Cluny l'émerveillent. Il aime les estampes japonaises. Il est curieux de tout.

Pourtant, quelques mois plus tard, il est de nouveau à Barcelone. Lui et Casagemas ont repris la route de l'Espagne. Une revue catalane salue son retour par un article enthousiaste se terminant par cette exclamation : «Ses amis artistes français l'ont surnommé "le petit Goya" !»

Mais au moment où ces lignes sont imprimées, Picasso est de retour à Paris ! Une nouvelle époque s'annonce pour lui. Une époque qui commence douloureusement. Pendant l'hiver, son ami Casagemas s'est suicidé par désespoir amoureux en se tirant une balle dans la tête.

A Montmartre, pendant la «période bleue», Picasso peint en bleu, voit en bleu et vit la nuit

Printemps 1901. Picasso a juste vingt ans. Nouvelle période, nouveau retour, nouvelle adresse à Paris : 130, boulevard de Clichy... Une petite chambre où Pablo vit, peint, mange et dort. C'est aussi la *Chambre bleue*, un des tableaux qui annoncent la période «bleue». Bleu comme la couleur qu'il aime, bleu comme il voit les choses et le monde en cette période précise, bleu comme il est habillé. Couleur bleue dont il parle à ce moment-là comme de «la couleur de toutes les couleurs». C'est la période de sa peinture que l'on appellera la «période bleue».

Et puis un jour, dans cette période bleu nuit, un point d'aube, une rencontre lumineuse: Max Jacob. Au mois de juin, le marchand Ambroise Vollard a organisé dans sa galerie une exposition des toiles de Picasso. Et on a vu arriver un jeune homme, élégant, raffiné, l'habit râpé mais le haut-de-forme impeccable, les chaussures élimées mais le visage noble. Max Jacob est poète et critique d'art. Il est immédiatement frappé par les toiles de Picasso. Picasso est immédiatement séduit par Max, sa justesse, son autonomie de jugement, sa fougue brillante. Une grande amitié se noue.

Autoportrait, 1901. Dans ce croquis de lui-même, tracé peu après son arrivée à Paris, Picasso se représente en conquérant, chevalet et palette sous un bras, valise sous l'autre.

Dans les cabarets de Montmartre, il y a maintenant la «bande à Picasso»

L'hiver suivant, Max accueille Picasso et «sa bande», tout un groupe de jeunes peintres espagnols, dans sa petite chambre d'hôtel enfumée par le tabac des pipes. Ils sont là assis, par terre, n'ayant pas ôté leurs manteaux tant le froid est vif et s'immisce partout. Ils écoutent passionnément Max leur lire jusque tard dans la nuit ses poèmes et ceux des poètes qu'il aime, Rimbaud, Verlaine et Baudelaire.

La nuit, la bande fait de fréquentes visites aux cabarets de Montmartre comme *Le Chat Noir*, et, quand on peut se procurer des billets, au *Moulin Rouge*.

Mais c'est rare et les cafés que fréquentent Picasso et ses amis sont plus modestes. Pendant quelque temps, leur quartier général est un petit cabaret bohème de Montmartre, appelé *Le Zut*. Ses couloirs obscurs, ses murs sales éclairés à la chandelle et surtout ses prix plus que bas attirent toute la clientèle sans le sou de Montmartre. La bande à Picasso s'y retrouve chaque soir, dans une petite salle du fond où le patron, Frédé, leur sert sur un tonneau de la bière ou des cerises à l'eau-de-vie...

Hiver 1902. Barcelone à nouveau ! On dirait que Picasso ne parvient à rester ni ici ni là, aimant d'amour une ville autant que l'autre, ayant besoin de Barcelone comme de Paris. De Barcelone, il écrit à Max des lettres en mauvais français, à forte saveur espagnole, et pleine de croquis de courses de taureaux. Sur l'une d'elles, il se représente avec son large chapeau noir, son pantalon étroit du bas, sa canne. La lettre commence par des excuses pour n'avoir pas écrit plus tôt, la raison en est qu'il travaille. « Et quand je ne travaille pas, alors on s'amuse ou on s'emmerde... » Picasso est mûr pour retraverser la frontière ! C'est ce qu'il fait fin 1902, pour la troisième fois en deux ans.

A l'époque, pour Picasso, la misère est presque indissociable de la création. Comme l'écrit son ami Sabartès : « Il croit l'Art fils de la Tristesse et de la Douleur. Il croit que la tristesse se prête à la méditation et que la douleur est le fond de la vie. Nous traversons cet âge où tout est encore à faire en chacun : cette période d'incertitude que tous considèrent du point de vue de leur propre misère ».

Pendant deux ans, Picasso et son ami Max Jacob partagent la même misère

A la fin de l'hiver 1902-1903, la misère de Picasso est si grande que Max Jacob l'invite à partager sa chambre, boulevard Voltaire. Mais Max est à peine plus argenté que Pablo. Il a trouvé un emploi dans un grand magasin et gagne tout juste de quoi payer la chambre. Il n'y a qu'un seul lit et qu'un seul haut-de-forme. Les deux amis doivent se partager l'un et l'autre ! Le lit ne reste jamais inoccupé. Max y dort toute la nuit, pendant que Pablo travaille, et dans la journée, Max étant à son magasin, c'est au tour de Pablo de dormir. Ils n'ont pas un liard, et trouver de quoi manger est toute une affaire. Un jour, avec leurs derniers sous, ils achètent une saucisse aperçue dans une vitrine. Elle a l'air grosse et appétissante... mais sitôt mise dans la poêle, elle explose littéralement, sans laisser de traces.

Pourtant, Pablo aime sa vie parisienne et ses amis. Six mois plus tard, de nouveau à Barcelone, il écrit à Max avec une pointe de nostalgie : « Mon vieux Max, je pense à la chambre du boulevard Voltaire et aux omelettes, aux haricots et au fromage de Brie... »

1903-1904. Pablo de nouveau à Paris, et puis encore à Barcelone. Il ne cesse de bouger, il ne tient pas en place. Entre 1900 et 1904, il ne se décide à s'installer nulle part ou, plutôt, il s'installe dans le mouvement. En quatre ans, il franchit huit fois les Pyrénées... Mais en 1904, il dit adieu à la Catalogne. Cette fois, il s'établit pour de bon à Paris.

A Montmartre, le célèbre Bateau-Lavoir est, en ce tout début du siècle, le centre de la vie de bohème

Paris, 1904. Le Bateau-Lavoir n'est ni un bateau ni un lavoir parce qu'il n'y a pratiquement pas l'eau courante, hormis un minuscule robinet qui goutte... C'est une étrange bâtisse toute délabrée, et c'est Max Jacob qui l'a surnommée ainsi parce que de la rue on y accède par un pont, comme sur un bateau. Le Bateau-Lavoir, ce sont des escaliers tortueux, humides qui mènent à des couloirs obscurs éclairés par une ampoule faiblarde. Ce sont des murs en lambeaux où s'ouvrent les portes de pauvres chambres pompeusement appelées «ateliers». En ce début du siècle, c'est le centre de la vie de bohème à Paris. Picasso y installe son atelier, au printemps 1904. Il va y rester cinq années.

Le Bateau-Lavoir est sale, inconfortable. Et pourtant un incroyable mélange de gens habite là. Des gens aux occupations très différentes : peintres, sculpteurs, poètes, blanchisseuses, marchandes de quatre-saisons. Leur grand point commun est de n'avoir pas un traître sou. Ils vivent là une vraie vie de village, où l'on se dispute et s'entraide, où l'on commère, où l'on voisine, où se vivent des drames passionnés...

Un jour de violent orage, une jeune fille se précipite dans les sombres couloirs du Bateau-Lavoir pour s'abriter de la pluie torrentielle. Ses grands cheveux roux sombre sont déjà mouillés, sa robe lui colle aux jambes. Dans sa hâte, elle se cogne presque contre un garçon échevelé, noiraud, rieur. Il lui barre le passage de l'étroit corridor et tient dans ses bras un tout petit chat qu'il lui tend en riant. Lui, c'est Pablo Picasso. Elle s'appelle Fernande Olivier. Ils ont vingt ans tous les deux. Très vite, Fernande vient habiter l'atelier. Picasso est très amoureux d'elle et il la peint mille et mille fois. Fernande pose des heures entières, parfois des jours entiers parce qu'ils sont si pauvres qu'elle n'a pas de chaussures pour aller dehors ! En hiver, ils n'ont pas d'argent pour payer le charbon. Ils ont trouvé un moyen de s'approvisionner à crédit : quand le livreur frappe à la porte, Fernande crie de l'intérieur : «Posez tout ça par terre, je ne peux pas vous ouvrir la porte, je suis toute nue !» Et ils gagnent une semaine pour trouver l'argent du charbon.

Fernande Olivier, la compagne de Picasso à partir de 1905, décrira plus tard sa toute première vision du peintre : «Picasso, petit, noir, trapu, inquiet, inquiétant, aux yeux sombres, profonds, étranges, presque fixes.»

A cette époque, Picasso travaille la nuit et dort le jour. Il peint à la lumière d'une lampe à pétrole suspendue au-dessus de sa tête, accroupi sur le plancher devant sa toile. Et quand il n'a pas de quoi s'acheter du pétrole, il travaille le pinceau dans la main droite, la bougie dans la main gauche. Il travaille souvent jusqu'à six heures du matin, et les visiteurs qui ne connaissent pas ses horaires et viennent tôt sont en principe mal accueillis...

Dans son atelier, règne un incroyable désordre de toiles entassées, posées à même le sol, appuyées contre les murs

L'atelier sent le lin et le pétrole, matières que Picasso utilise aussi bien pour sa lampe que comme médium (pour lier ses couleurs). Des dizaines de toiles sont entassées contre le mur. Et, posée à même le sol, appuyée contre le pied du chevalet, celle à laquelle Picasso travaille. A côté du chevalet, les couleurs, les brosses et une grande collection de pots, de chiffons et de boîtes en fer-blanc.

Et puis des livres, des objets bizarres, un tube en zinc, tout un bric-à-brac, des souris blanches dans un tiroir, des fleurs artificielles trouvées chez un brocanteur et dont la couleur lui a plu... Un incroyable désordre. Mais un désordre nécessaire, indispensable. Picasso vit et vivra toute sa vie dans le désordre. Comme si le désordre était pour lui un terrain plus riche et plus fertile aux idées et à la création que l'ordre. Un désordre qui est son ordre à lui. Les choses trouvent leur place dans la nécessité qu'elles ont d'être là à ce moment-là. L'ordre extérieur, au contraire, a quelque chose d'imposé qui fige l'esprit.

Picasso a toujours eu besoin de solitude pour travailler. Mais il n'a jamais pu vivre non plus sans compagnie. Et, comme il aime la poésie, beaucoup de ses amis sont des poètes. En cet automne 1905, il vient justement de faire la connaissance, dans un bar proche de la gare Saint-Lazare, d'un poète impétueux et brillant, mi-polonais, mi-italien, Kostrowitsky. Ayant changé de patrie, il a également changé de nom : il s'appelle maintenant Guillaume Apollinaire.

Mais il y a aussi Alfred Jarry, Charles Vildrac, Pierre Mac Orlan et bien sûr Max Jacob. Ils se retrouvent souvent dans l'atelier de Picasso. Max est un amuseur infatigable, d'une verve éblouissante. Il lit admirablement la poésie et ravit son auditoire.

P*ortrait de Gertrude Stein,* 1906. Ce célèbre portrait fut commencé en hiver 1905. Gertrude Stein fit de très longues séances de pose. Au printemps, Picasso efface le visage, dont il n'est pas content ; en automne 1906, à son retour de Gosol, il le reprend, lui donnant l'aspect d'un masque. Le front est lisse, bombé, les traits impersonnels, schématiques et réguliers. «C'est le seul portrait de moi, qui reste toujours moi», dira le modèle.

Picasso aime retrouver tous ses amis, peintres, sculpteurs, poètes, autour d'un repas de fortune ou d'une interminable conversation de café

Quand ils ne sont pas chez Pablo à lire des poèmes ou à parler peinture, Pablo et sa bande sont au *Lapin agile* Il faut bien manger, et au moindre prix ! Et, au *Lapin agile*, on peut faire un excellent dîner pour deux francs avec vin à volonté. Dans la pénombre, on peut voir accrochées les œuvres des artistes que le patron a acceptées en paiement de leurs dettes. Parmi ces tableaux, un Picasso aux couleurs fortes, dans les jaunes et rouges, deviendra un jour célèbre sous le nom de *Lapin agile.*

Picasso adore les conversations de café, sérieuses ou tapageuses. Il aime les rencontres imprévues, au hasard d'une rue, d'une terrasse, d'un regard ; des rencontres qui ouvrent parfois sur de vraies amitiés. En revanche, il déteste les gens qui lui posent des questions stupides pour essayer de comprendre son œuvre. Il le montre clairement un soir à trois jeunes Allemands qui lui demandent de lui expliquer ses « théories esthétiques ». Picasso sort un revolver de sa poche... et tire trois coups en l'air ! Pour rire, mais il est le seul à rire ! Les Allemands ont détalé dans la nuit...

Paco Durio, sculpteur, Canals, peintre, Manolo Hugué, sculpteur, Max Jacob. Ce sont les amis chers, les premiers vrais admirateurs de Picasso. Ils sont là presque tous les jours. Toujours prêts à aider Pablo. Ils partent souvent avec ses dessins sous le bras pour essayer de les vendre et d'en tirer quelques sous. Car Pablo, lui, refuse de montrer ses tableaux au public. A cette époque, c'est pour lui un vrai déchirement de les voir quitter l'atelier. Et quant à aller voir des marchands pour se vendre, il n'en est pas question. Il préfère les donner plutôt qu'avoir à en débattre le prix.

Pourtant, outre ses amis de bohème et de misère qui aiment son travail, des amateurs de peinture, susceptibles d'acheter, commencent à se passionner pour les toiles de Pablo. Parmi eux, deux Américains, Léo et Gertrude Stein. Lors de leur première visite à l'atelier, ils sont tellement impressionnés qu'ils achètent d'un coup pour huit cents francs de tableaux. Événement sans précédent ! Et, en 1906, le marchand Ambroise Vollard achète lui aussi la plupart des toiles de la période rose, deux mille francs or

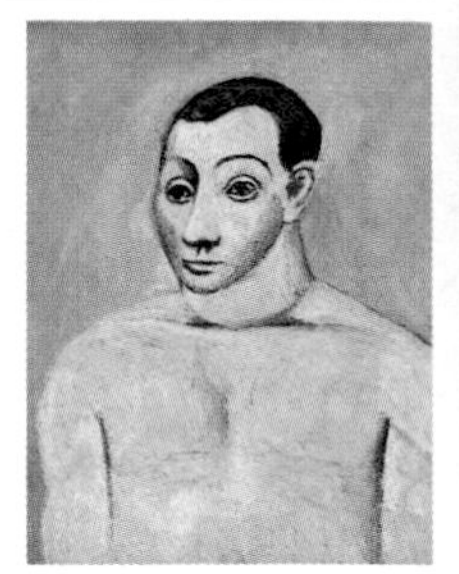

Autoportrait, 1906. Picasso a peint ce portrait à son retour de Gosol, séjour qui a marqué une profonde rupture dans sa peinture. Pour la première fois il a peint ce qu'il voyait sans artifice, avec une sorte de rudesse, de pureté de formes. Ses personnages ont pris une plénitude presque sculpturale. Du reste, toutes les œuvres de cette époque témoignent de l'influence de la sculpture ibérique. Picasso a peint son propre visage comme un masque, comme s'il s'agissait d'un autre que lui. L'intensité, l'archaïsme presque sauvage de l'*Autoportrait* nous montrent le chemin parcouru en quelques années et même en quelques mois.

d'un coup ! Picasso et Fernande peuvent enfin s'offrir un voyage. Cela fait deux ans que Picasso n'a pas quitté Paris.

A Gosol, petit village perché dans les Pyrénées espagnoles, Picasso se retrempe dans cet air qu'il aime : l'Espagne, le soleil, les cyprès

1906. C'est l'été, et Pablo est repris par l'irrésistible besoin de l'Espagne. Après ce long séjour si parisien, si citadin, Picasso a besoin du calme de la campagne. Il n'aime pas, ou pas encore, la campagne française. Il dit qu'elle sent le champignon. Il a besoin de l'odeur du thym et du cyprès, de l'huile d'olive et du romarin. L'odeur du soleil, du Sud, de l'Espagne.

Début juin, lui et Fernande achètent deux billets pour Barcelone. De là, ils atteignent un petit village haut perché dans les Pyrénées espagnoles : Gosol, une merveille de village perdu, une dizaine de maisons de pierre autour d'une place blanche, qu'on ne peut atteindre qu'à dos de mulet.

Là commence une autre vie. Une vie faite de courses en forêt avec les contrebandiers qui racontent leurs aventures, d'ascension sur ces sommets que l'on voit du village se découper sur le ciel bleu. Et, pour Picasso, une nouvelle période de travail. A Gosol, il a retrouvé son calme et s'est mis à peindre avec une ardeur décuplée. Comme toujours, il prend pour sujets les gens, les paysages, les maisons. Ce qu'il a sous les yeux. Les petites maisons carrées avec leurs fenêtres sans vitres, les paysannes à fichu, le visage tanné des vieillards. Et toujours la beauté sereine de Fernande. A la fin de l'été, Fernande et Picasso sont de retour à Paris.

La Coiffure, Paris, 1906. Cette peinture est caractéristique de l'époque de Gosol : formes rondes et simplifiées, visages ovales, tons ocre et rose. La coiffure est un des thèmes de prédilection de Picasso à cette époque. Il sait rendre la grâce des gestes féminins, l'atmosphère sereine et sensuelle de ces moments d'intimité.

Fin 1906. Picasso a vingt-cinq ans. Il est reconnu et admiré non seulement dans le domaine de la peinture et du dessin, mais aussi dans celui de la sculpture, de la gravure. Il vient de rencontrer Matisse. Pourtant, une lame de fond est sur le point de déferler, qui va littéralement retourner Picasso, et toutes les apparentes certitudes de son travail.

CHAPITRE III
LA RÉVOLUTION CUBISTE

Portrait de jeune fille, Avignon, été 1914. Ce tableau joyeux, décoratif et coloré, imite en trompe l'œil les effets de collage et papiers peints que Picasso réalise à l'époque. A droite, statue féminine de Nouvelle-Calédonie. Picasso possède une très belle collection de masques et de statues d'art primitif dont les formes inspireront ses sculptures.

Un jour d'été, en juillet 1907, Picasso se rend seul au musée de l'Homme, au Trocadéro. Il en ressort profondément bouleversé par ce qu'il a vu : les sculptures et les masques nègres. Bouleversé par la puissance magique de ces objets. Et cette évidence du rapport entre l'homme et la nature, cette traduction si vive, si immédiate des sensations profondes, ancestrales, éprouvées par l'homme, comme la peur, la terreur, l'hilarité, le touchent directement. Lui, Picasso, c'est bien cette immédiateté-là qu'il cherche. Il ne veut pas « faire de l'art ». Non, il est sans cesse en quête de cette traduction (par la peinture mais aussi par d'autres moyens) de sensations profondes, inexprimables par le seul détour de la parole. Il faut voir et sentir. Et, dans l'art nègre, il y a cette sensation pure et aussi cette simplicité des formes : géométrie toute simple, carrée. Un nouveau langage plastique avec des signes codifiés : le rectangle pour la bouche, le cylindre pour les yeux, le trou pour le nez, etc. Picasso passe de longues heures devant les vitrines du musée. Il y retourne plusieurs jours de suite. L'art africain et océanien est une véritable révélation. Ce qui va se passer en lui désormais, et va passer directement dans sa peinture, va en être comme marqué au fer rouge.

Un défi, une provocation, un scandale : le nouveau tableau de Picasso, *les Demoiselles d'Avignon*, soulève un tollé général

En cette fin d'été 1907, Picasso achève un immense tableau commencé plusieurs mois auparavant. Presque six mètres carrés de toile, des centaines de dessins et d'études préparatoires. Mais, pour l'instant, personne ne connaît ces détails. Pablo s'est bouclé dans son atelier pour faire ce tableau. Interdiction à quiconque d'y pénétrer...
Et puis, un jour, il ouvre la porte de l'atelier à ses amis. Stupéfaction, choc, consternation. Aucun mot n'est assez fort pour rapporter l'impression de ses amis les plus proches devant le nouveau tableau. Pourtant, ils sont habitués à la peinture de Pablo, ils sont depuis toujours les premiers à la défendre. Mais, cette fois-ci, vraiment... ils désapprouvent catégoriquement. Matisse, le grand peintre, est furieux ! Georges Braque lui-même, un ami

Masque Grebo (Côte-d'Ivoire). Ce masque de bois et de fibres végétales faisait partie de la collection personnelle de Picasso. Picasso parle de l'art nègre comme d'un « art raisonnable ». Cela veut dire que l'artiste nègre ne représente pas ce qu'il voit mais ce qu'il pense, qu'il exprime des idées à travers des formes. Pour Picasso, il s'agit de comprendre l'esprit de ces masques. Cet esprit, on le retrouve dans la plupart de ses œuvres de l'époque.

recent de Pablo, lui dit : « C'est comme si tu voulais nous faire manger de l'étoupe ou boire du pétrole ! » Même Apollinaire, d'habitude inconditionnel, critique férocement son ami. D'ailleurs, le jour de sa visite, il est accompagné d'un célèbre critique d'art qui conseille gentiment à Picasso de s'adonner à la caricature...

Une seule exception à ce concert de cris furieux : un jeune collectionneur allemand du nom de Kahnweiler. Lui, il aime dès sa première visite, et se lie d'amitié avec Picasso. Une amitié qui durera toute la vie. Kahnweiler deviendra l'un des plus grands marchands de peinture moderne de ce siècle.

Le tableau du scandale n'a pas encore de nom. Mais il va donner le premier tour de roue à l'un des plus importants mouvements artistiques du XXe siècle : le cubisme. Quelques années plus tard, il s'appellera *les Demoiselles d'Avignon.*

Le scandale causé par *les Demoiselles d'Avignon* n'a troublé profondément ni le travail de Picasso ni ses amitiés vraies. Apollinaire et Max Jacob sont à l'atelier presque tous les jours, comme avant. Pablo s'est mis à travailler à des heures plus normales : il peint moins la nuit et plus le jour, ce qui lui permet de recevoir des visites le soir, ou de sortir plus souvent. Justement, ces temps-ci, lui et Fernande se sont aventurés à l'autre bout de Paris, de l'autre côté de la Seine. Chaque mardi, ils quittent Montmartre, enveloppés dans de grands manteaux qui leur descendent jusqu'aux pieds parce que l'hiver 1907 est rude, et vont jusqu'à Montparnasse. Dans une brasserie, La Closerie des Lilas, se réunit un nouveau groupe littéraire qui s'appelle Vers et Prose. Il y a là des poètes et des écrivains comme Paul Fort, Alfred Jarry, Apollinaire, mais aussi tous les amis peintres, sculpteurs, musiciens. Picasso, comme tous les autres, adore ces discussions hebdomadaires passionnées, réchauffées par quelque forte liqueur, et qui se terminent parfois par une expulsion aussi générale que matinale...

Georges Braque, dans l'atelier du boulevard de Clichy, en 1910. Braque et Picasso forment une curieuse paire d'amis, aux antipodes l'un de l'autre. Braque dira plus tard : « Picasso est espagnol et je suis français. » Braque est aussi flegmatique que Picasso est mobile, aussi raisonnable qu'il est capricieux, aussi effacé qu'il est exubérant.

Picasso et Braque se mettent à peindre des formes réduites à leur plus simple expression, des formes géométriques : le cubisme est en train de naître

A l'automne 1908, le peintre Braque présente six nouvelles toiles, des petits paysages, au Salon d'automne. Le jury est complètement dérouté par cette nouvelle tendance.

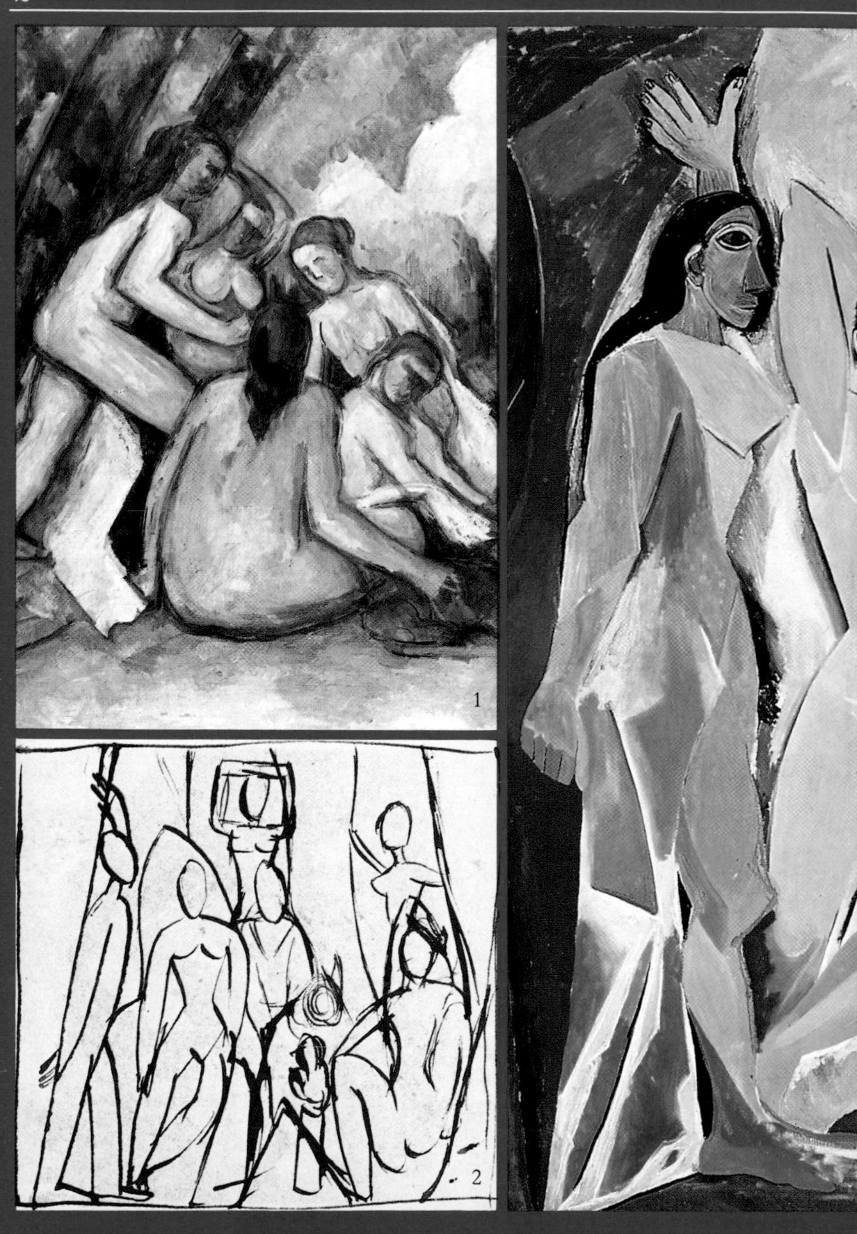
1
2

3

Les corps cassés des Demoiselles

Ce tableau est considéré par les historiens de l'art comme le point de départ de tout l'art moderne. Pour la première fois, un peintre ose rompre avec la vraisemblance et crée un nouvel univers pictural. La représentation du «nu» a été depuis la Renaissance le sujet favori des peintres. Au XIXe siècle, Ingres a peint *le Bain turc* (musée du Louvre), et Cézanne, au début du siècle, *les Grandes Baigneuses* (1). Picasso relève à son tour le défi. Il travaille plusieurs mois pour ce tableau, étudiant sa composition dans de nombreuses esquisses, telle celle présentée ici (2).

Les Demoiselles d'Avignon, 1907 (3). On peut distinguer dans ce tableau deux types de femmes. Celles du centre ont de grands yeux ourlés, des oreilles en 8 et un nez de profil dans un visage de face. Picasso commente: «Le nez de travers, je l'ai fait exprès. J'ai fait de façon que les gens soient obligés de voir un nez.» Les deux femmes de droite sont plus anguleuses, avec des hachures de couleur, et leur visage nie les lois de la symétrie: l'une a un grand œil noir de face et un petit œil de trois quarts; l'autre a le visage de face alors qu'elle nous tourne le dos.

1
2
3
4
5

Visages-masques et airs pointus

Dans un entretien avec le marchand Kahnweiler en 1933, Picasso déclara : «*Les Demoiselles d'Avignon*, ce que ce nom peut m'agacer ! C'est Salmon qui l'a inventé. Vous savez bien que ça s'appelait *le Bordel d'Avignon* au début. (...) Il devait y avoir aussi – d'après ma première idée – des hommes, vous avez d'ailleurs vu les dessins. Il y avait un étudiant qui tenait un crâne. Un marin aussi. Les femmes étaient en train de manger, d'où le panier de fruits qui est resté... »

Les Demoiselles d'Avignon, détails (5 et 6). Ces deux têtes sont de type très différent. L'une montre un visage arrondi, l'autre un visage strié. Dans celui de gauche, les traits sont simplifiés ; il est inspiré de la sculpture ibérique, c'est-à-dire de l'Espagne primitive, époque que Picasso admirait particulièrement (Tête d'homme, 3). Dans celui de droite, on retrouve l'art africain et océanien à travers les hachures colorées qui évoquent les stries des masques. Picasso a en effet découvert avec émerveillement l'art africain et océanien au musée du Trocadéro (Masque d'Afrique centrale orientale, 1). Frappé par la force plastique et la puissance magique de cette nouvelle forme d'art, il a ainsi associé les leçons de l'art primitif à l'enseignement de Cézanne. *Buste de marin*, (2) et *Buste de femme* (4) font partie des nombreuses études réalisées par Picasso.

En effet au lieu d'être l'élément principal, la couleur s'est assourdie. Et l'accent est placé sur des formes géométriques toutes simples. Matisse, qui est membre du jury, remarque ce qu'il appelle « des petits cubes »...

Deux tableaux sont refusés et Braque, vexé, retire immédiatement les autres. Heureusement, Kahnweiler n'est pas troublé par le nouveau style du peintre et il organise dans sa galerie une exposition consacrée à Braque. C'est la première exposition cubiste. Parallèlement, Picasso s'est mis à peindre à la campagne, non loin de Paris, des figures et des paysages dans les mêmes tons assourdis verts et bruns, dans les mêmes formes simples et géométriques...

Picasso en 1912 dans l'atelier du 241, boulevard Raspail.

Picasso et Braque étudient et admirent l'œuvre de Cézanne qui vient de mourir et à qui le Salon d'automne a consacré une grande exposition en 1907. Dès ce moment, les deux peintres vont travailler en étroite association. Amis proches et féconds l'un pour l'autre, regardant leurs travaux respectifs, à la fois critiques et attentifs l'un envers l'autre, Picasso et Braque sont, et pour de longues années, les meneurs et les deux acteurs principaux du mouvement cubiste.

Picasso retourne à Horta de San Juan, mais son regard n'est plus le même

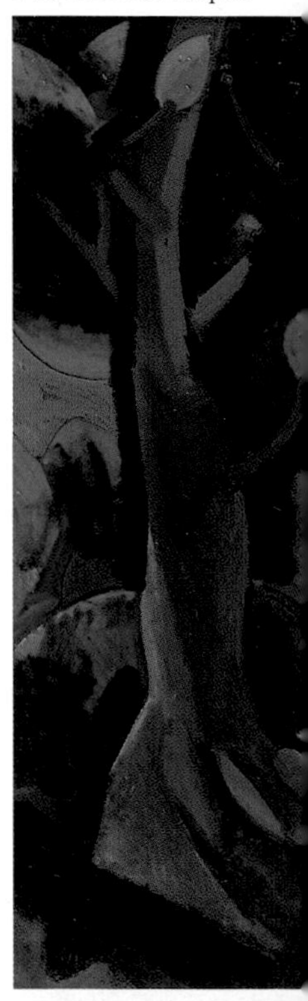

Au mois de juillet 1909, Picasso retourne en Espagne. C'est l'été, Picasso a besoin de l'Espagne comme d'une sève nourricière qui remonte à l'approche des chaleurs. Lui et Fernande partent pour Horta de San Juan, le petit village de son ami Pallarès, sur le plateau de l'Ebre où il a séjourné dix ans auparavant. Cela fait dix ans qu'il n'a pas senti l'odeur amère et forte de ces plateaux dévorés d'un soleil blanc.

Horta, c'est bien le même village qu'autrefois, brûlant de chaleur, c'est le même pays qu'il y a dix ans... Mais le regard de Picasso a changé. Et les paysages qu'il replace sur sa toile n'ont plus grand-chose à voir avec ceux d'il y a dix ans : plus géométriques, plus simples. Picasso ne retient à présent du paysage que l'essentiel, au lieu de se contenter de le « copier ». Et toutes les libertés sont permises pourvu qu'elles aident à atteindre au but. Les formes qu'il voit dans la nature deviennent les facettes au dur chatoiement d'un agglomérat de cristaux ou de pierres taillées. Selon Cézanne, que Picasso admire : « Traiter la nature par le cylindre, la sphère, le cône. »

Avec le cubisme, Picasso commence à être connu : sa peinture se vend bien, très bien même. La misère est loin...

Picasso est revenu de Horta avec un grand nombre de toiles. Dès son retour, le marchand Vollard organise une exposition de ses derniers tableaux. Malgré l'hostilité du grand public à la nouvelle tendance cubiste, on achète. On achète même beaucoup. Le groupe des admirateurs de Picasso a considérablement augmenté, particulièrement des Russes, des Allemands et des Américains. Picasso est loin de la misère d'il y a à peine trois ans.

En septembre 1909, Picasso et Fernande quittent enfin le Bateau-Lavoir. Ils emménagent avec leur chat siamois dans un grand et clair appartement-atelier au numéro 11 du boulevard de Clichy. Les fenêtres de

En bas, *Paysage aux deux figures,* 1908. Deux nus dans un paysage. Les deux personnages sont complètement intégrés à l'environnement, les corps fondus dans les arbres. Paysage et personnages sont traités de la même manière : en volumes géométriques simplifiés. Le peintre Cézanne disait : «La peinture est une optique d'abord. La matière de notre art est là, dans ce que pensent nos yeux.» En 1908, Picasso est à l'époque directement influencé par Cézanne. C'est la toute première étape du cubisme, celui qu'on appellera «cubisme cézannien».

l'appartement ouvrent sur un océan de verdure, et, dans l'atelier, la lumière est somptueuse. Il y a une bonne en tablier blanc pour servir à table, des meubles en acajou, un grand piano à queue... Le changement de décor est radical, tout comme le changement de vie : désormais, réception tous les dimanches !

Cela n'empêche pas Pablo de reconstituer dans son nouveau petit palais l'invraisemblable bric-à-brac dont il a besoin de s'entourer : guitares, bouteilles aux formes bizarres, un verre choisi pour l'intensité de son bleu, des morceaux de tapisserie ancienne, des tableaux de peintres qu'il admire – Matisse, Rousseau, Cézanne – et surtout un nombre croissant de masques nègres. Le moins que l'on puisse dire, c'est que les styles se mélangent, s'entremêlent. C'est la jungle propre à Picasso. Il l'a toujours dit, il a horreur du bon goût et de l'harmonie. Il achète ce qu'il aime, ce qui lui plaît, sans se préoccuper de savoir si ça va « aller ensemble ».

L'été 1910, au lieu de retourner en Espagne, Picasso et Fernande s'arrêtent dans la charmante ville de Céret – au pied des Pyrénées – ombragée de platanes gigantesques, aux rues étroites et fraîches peuplées de paysans descendus de la montagne avec leurs mules. Au milieu d'un champ d'abricotiers et de vignes, un ami a acheté un délicieux petit monastère entouré d'un jardin et arrosé par un torrent de montagne. Picasso occupe tout le premier étage avec Fernande. Tout un groupe d'artistes et de poètes est venu aussi cet été-là à Céret. Et presque chaque soir, les amis se retrouvent aux terrasses des cafés où l'on parle des heures entières. Quand il ne parle pas, Picasso dessine sur le marbre de la table.

Picasso aime Céret, la proximité de l'Espagne, la santé des filles bien bâties, les montagnes qui courent indéfiniment sur l'horizon, et cette végétation mêlée de sécheresse méditerranéenne et de verdeur humide. Trois années de suite, il retourne passer l'été à Céret. Le dernier été, Pablo et Fernande se séparent.

Eva à Sorgues en 1912. Son vrai nom est Marcelle Humbert. Picasso vit avec elle pendant trois ans, jusqu'à la mort de la jeune femme.

Picasso s'éloigne du cubisme, se rapproche des « papiers collés » et rencontre Eva

Eva s'appelle Marcelle, mais Pablo l'appelle Eva pour dire au monde entier qu'elle est devenue la première de toutes les femmes et qu'il l'aime. Dès le printemps, Picasso et Eva ont quitté Paris pour abriter leur amour dans le Midi.

Pipe, verre, as de trèfle, bouteille de Bass, guitare, dé (Ma jolie), 1914. On retrouve dans cette nature morte les couleurs vives, les pointillés et les effets de trompe-l'œil du *Portrait de jeune fille.* A cette époque Picasso est amoureux d'Eva, et la chanson à la mode s'intitule *Ma jolie.* Il met donc dans son tableau la partition de musique pour chanter son amour en peinture. Pendant la période cubiste il peint beaucoup de natures mortes composées des objets les plus quotidiens, notamment ceux qui traînent sur les tables de bistrot : cartes à jouer, bouteilles, pipes, et bien sûr la guitare, dont la forme évoque le corps d'une femme.

A Sorgues-sur-Ouvèze, à neuf kilomètres au nord d'Avignon, Picasso loue une petite villa, plutôt laide, appelée Les Clochettes. Braque et sa femme les y rejoignent, ayant loué non loin la villa Bel-Air. Dans ces mornes maisonnettes de province, les deux peintres vivent pendant quelques mois l'une des plus fécondes et riches périodes du cubisme.

Picasso a retrouvé son extraordinaire ardeur au travail. Il est heureux avec Eva et il l'écrit à Kahnweiler : «Je l'aime beaucoup et je l'écrirai sur mes tableaux.» Et il le fait : «J'aime Eva» est écrit sur de nombreux tableaux cubistes, comme une sorte de signature, comme un amoureux grave le nom de son aimée sur l'écorce des arbres.

La villa Les Clochettes est un peu triste mais elle a de beaux murs blancs à l'intérieur. Pablo est très tenté par ce grand blanc. Il y fait des esquisses, et à la fin de l'été un grand tableau ovale. Comme il tient beaucoup à son tableau ovale, il fait emporter les pierres du mur au moment de regagner Paris. Avec l'accord du propriétaire, dédommagé bien sûr...

Durant l'été 1912, Braque a fait une série de dessins au fusain dans lesquels il a utilisé des morceaux découpés dans des papiers peints. Il a trouvé chez un marchand de couleurs du papier peint imitation bois qu'il a collé sur un dessin au fusain. Peu après, Picasso, enthousiaste, adopte le même procédé et réalise en automne une série de papiers collés : «J'emploie, écrit-il à Braque, tes derniers procédés papéristiques et pusiéreux (oui, Picasso a bien écrit comme cela).» Dès ce moment, la technique du papier collé va se propager comme une traînée de poudre. Mais, surtout, les morceaux de papier découpés permettent à Picasso et Braque de réintroduire la couleur qui avait pratiquement disparu des toiles cubistes.

Le cubisme est devenu le sujet le plus important et le plus controversé des discussions sur l'art. Mais Picasso se tient volontairement à l'écart de tout ce qui est groupe. Un an plus tôt, l'été 1911, il y a eu la première grande exposition cubiste au Salon des indépendants. Les peintres qui exposaient s'appelaient Picabia, Delaunay, Léger, Marcel Duchamp. Picasso, l'inventeur du cubisme, n'y était pas.

Picasso dans son atelier de la rue Schoelcher, en 1915. C'est la guerre. Cette photo a été prise pendant les heures sombres où Eva était malade et soignée en maison de santé. Picasso faisait tous les jours en métro le trajet de son atelier au chevet de la jeune femme.

Le début de la guerre de 1914-1918 marque la fin de la vie de bohème

A l'automne 1912, Picasso et Eva emménagent à Montparnasse. Le boulevard de Clichy, la vie de bohème et ses dernières traces sont effacées pour de bon. Le nouvel atelier se trouve rue Schoelcher, à deux pas de Montparnasse, à deux pas des grands cafés : Le Dôme, La Closerie des Lilas, La Coupole. Trois cafés parisiens où se réunissent depuis peu des artistes venus de toutes les parties du monde.

Au début de l'été 1914, Picasso et Eva sont à Avignon. Braque est là aussi et le peintre Derain. L'été est étouffant, l'atmosphère lourde, tendue. La guerre est dans l'air. Cette menace immédiate ajoute au désarroi de Picasso qui a perdu son père l'année précédente.

Le 1er août 1914, la guerre est déclarée entre la France et l'Allemagne. Le lendemain Braque et Derain partent rejoindre leur régiment. Picasso, en tant qu'Espagnol, n'est pas mobilisé. Il les accompagne sur le quai de la gare d'Avignon. Il reste là, désemparé, triste, anxieux. Il sent que, dans cet adieu à la gare d'Avignon, il y a quelque chose de beaucoup plus définitif qu'un simple train qui part. La guerre éclate au moment où le cubisme est en plein essor, où d'extraordinaires possibilités sont sur le point de naître.

Très abattu, Pablo regagne Paris. Mais le Paris de la guerre a changé. La ville s'est vidée de ses hommes. La mobilisation a démantelé les groupes d'artistes. Montparnasse a changé de visage. Braque, Apollinaire, Derain, Léger, les amis les plus proches sont à la guerre. Pendant toutes les années de la guerre, Picasso va voir ainsi, de loin en loin, au hasard des permissions, ses amis artistes, poètes et peintres qui, il y a peu de temps encore, faisaient partie de sa vie de tous les jours.

Max Jacob, en 1915. Max est le plus vieil ami parisien de Picasso. En cette période de grande solitude où la guerre a plongé Picasso, Max Jacob est l'un des rares amis qui ne soit pas parti au front.

En pleine tourmente de guerre, Picasso est frappé par la disparition de l'être qui lui est cher

Le seul à n'être pas parti est Max Jacob. Sa santé est trop fragile. Mais Max a changé. Il est devenu un peu exalté, un peu mystique. Il voudrait se retirer dans un monastère. Comme il est juif, il se fait baptiser, l'hiver 1915 ; son nouveau prénom est Cyprien. Picasso est son parrain. Il offre à son filleul et ami de toujours un exemplaire de *l'Imitation de Jésus-Christ* sur lequel il a écrit : « À mon frère Cyprien Max Jacob, souvenir de son baptême, jeudi 18 février 1915. Pablo. »

Ce même hiver 1915, une tragédie approche. Eva est malade. Elle dépérit. Elle meurt de la tuberculose après de terribles souffrances. Picasso quitte la rue Schoelcher. L'atmosphère y est trop douloureuse, les souvenirs trop vifs, les arbres du cimetière Montparnasse trop proches. Il s'installe dans une petite maison aux portes de Paris, à Montrouge.

Quand il était encore rue Schoelcher, Picasso avait fait la connaissance d'un poète permissionnaire, brillant et agité, qui montait l'escalier au galop, qui adorait le travail de Picasso et le cubisme : Jean Cocteau. Cocteau est associé avec les Ballets russes et leur chorégraphe, le grand Serge de Diaghilev. Au printemps 1917, il propose à Picasso de dessiner les costumes et les décors du prochain spectacle de Diaghilev. Pour cela, il faut aller à Rome où la troupe est installée. Le musicien Erik Satie fera la musique. Picasso accepte et part pour Rome en février 1917.

2

3

Les petits cubes du cubisme

On appelle cubisme la recherche menée par Picasso et Braque entre 1908 et 1915. Le mot cubisme vient, comme son nom l'indique, de cube, et fut prononcé pour la première fois par un critique d'art à propos des paysages de Braque, dans lesquels les maisons, les arbres et le fond avaient tous la forme de cubes. Cette invention majeure de l'art du XXᵉ siècle s'est faite étape par étape. D'abord le cubisme cézannien, puis le cubisme analytique ; ensuite viennent les collages et finalement, les papiers collés et les constructions.

Nature morte avec pains et compotier, 1908 (1) ; détail (2). Tous les objets sont réduits à des formes simples et géométriques : cylindres, cônes, sphères. Jadis lorsqu'on dessinait une table vue de face (comme ici) le dessus de la table n'était pas visible. Or, Picasso le peint comme si on le voyait du dessus. Il rompt donc avec toutes les lois de la perspective. C'est ce qu'avait déjà amorcé Cézanne dans ses natures mortes.

Usine de Horta, 1908 (3). Dans ce tableau, l'ensemble de la surface est découpé en facettes, tantôt claires, tantôt foncées. Les bâtiments de l'usine sont traduits par des cubes, dont les différentes faces s'imbriquent les unes dans les autres. Picasso traite de la même façon les objets et le fond.

Des visages en miettes

Les peintres cubistes vont s'intéresser non seulement à l'apparence de l'objet mais aussi à tout ce qu'ils en connaissent : ses faces, son profil, sa position dans l'espace et dans la lumière, ses relations avec les autres objets. Comment dire tout cela sur une seule toile ? En étalant simultanément toutes les faces de l'objet sur la toile, en superposant les différents objets les uns sur les autres.

Tête de Fernande, 1909. Le visage semble bosselé, fracturé vu de près, mais de loin, ce jeu de plans permet de reconstituer le volume du front, l'ombre et la lumière. Le contour du visage est encore clos, mais l'année suivante, Picasso le fera éclater en de multiples fragments.

Portrait de Vollard, 1910. Sous le grillage serré des facettes, on reconnaît le visage d'un homme. Le procédé qu'a engagé Picasso en déconstruisant la forme va l'entraîner de plus en plus loin. D'un côté, il y a une démarche intellectuelle, picturale, qui obéit au mécanisme du tableau : une grille abstraite de traits, de facettes. De l'autre côté, il y a le modèle réel à peindre. Le conflit est de plus en plus aigu, tendu : faut-il sauver la forme ?

JOU

Corde, journal et toile cirée : le collage

Le nouveau système cubiste est difficile à comprendre pour le profane. Braque et Picasso sentent très vite le risque de voir le cubisme se transformer en un pur exercice esthétique, abstrait, réservé à une minorité d'initiés. Pour éviter ce danger, ils placent dans leurs toiles des éléments réels, des objets matériels qui soient en quelque sorte le témoin de la réalité. Braque, le premier, commence par introduire dans un de ses tableaux un clou peint avec son ombre portée, comme si le clou fixait la toile au mur. En 1912, Picasso peint la *Nature morte à la chaise cannée :* c'est le premier collage de l'histoire de la peinture.

L*a Nature morte à la chaise cannée,* 1912. Plutôt que de représenter en peinture une chaise cannée qui ne donnerait que l'illusion d'une chaise, Picasso prend un morceau de toile cirée figurant un cannage de chaise. Il se sert d'une vraie corde comme d'un cadre. A l'intérieur du tableau, d'autres objets sont présentés : une rondelle de citron en haut à droite, un triangle avec des festons qui représente une coquille Saint-Jacques, un verre transparent, seulement indiqué par des traits sommaires. A gauche, on peut voir les lettres JOU. Cela veut dire «journal», mais cela peut aussi vouloir dire «jouer» : le tableau lui-même est un jeu, jeu de mots et jeu d'images. Au-dessus enfin, le tuyau et le fourneau d'une pipe.

1
3

Guitares et feuilles de musique : papiers collés et constructions

Après l'invention décisive du collage qui permet d'utiliser toutes sortes de matériaux, Braque puis Picasso se mettent aux papiers collés. Prenant ce qu'ils ont sous la main, papier journal, papier peint, partition musicale, ils les découpent, les collent, les assemblent. Le recours aux papiers collés leur permet d'une part de réintroduire la couleur, d'autre part de suggérer une certaine profondeur par la superposition de différents plans. Mais par la suite, Picasso ne se contente plus de l'espace plane du tableau. Il veut aussi conquérir l'espace réel, dans son volume.

Mandoline et clarinette, construction, 1913 (1). *Guitare,* construction, 1912 (2). *Violon,* construction, 1915 (3). *Violon et feuille de musique,* papier collé, 1912 (4).

Le Violon, 1913 (5). Picasso a collé sur sa toile une boîte en carton avec une fente qui indique la caisse de résonance, l'«ouïe» du violon étant dessinée de façon réaliste à côté ; le papier collé «imitation bois» indique que le matériau du violon est le bois ; la forme du violon est dessinée au fusain sur le fond en papier journal ; les cordes sont indiquées sur des bandes de papier blanc et le chevalet est peint au-dessus. Tous les attributs de l'instrument sont donc ici figurés avec des techniques différentes.

Rome, 1917. Rome et le soleil et la gaieté des Romains. Rome si grande à force d'être belle ! Les monuments baroques à volutes, les merveilleuses églises où dans le secret des chapelles brille le marbre des statues ; le forum antique et Michel-Ange et Raphaël ! Picasso, ébloui, marche des journées entières, s'arrête dans les cafés profonds de la via Veneto, et regarde comme s'il avait les mille yeux du paon…

CHAPITRE IV

VERS LA CÉLÉBRITÉ

Portrait d'Olga dans un fauteuil. Paris, 1917. Picasso revient au style classique et figuratif, mais laisse volontairement le tableau inachevé : le tissu du fauteuil est donc traité comme un pan de papier collé.
A droite, projet de costume pour le ballet Pulcinella. 1920.

Après ces années de tristesse où l'ont plongé la guerre et la mort d'Eva, il trouve à Rome les premiers éclats d'une nouvelle joie.

Mais le séjour à Rome, c'est aussi pour lui un choc d'une autre nature : la rencontre avec la beauté du corps. D'abord celle des statues antiques grecques et romaines, mais aussi celle des corps merveilleusement mobiles, puissamment façonnés d'une troupe de danseurs au talent stupéfiant. Et c'est vrai : dans ce premier quart du XXe siècle, la troupe de Serge de Diaghilev est sans doute la plus extraordinaire troupe de danseurs classiques de son temps.

Le nouveau projet de Diaghilev est audacieux, résolument moderniste : mettre ensemble Picasso, Cocteau et Erik Satie, c'est cumuler les artistes les plus à la pointe du mouvement moderne pour les mettre au service de la danse.

Donné à Paris, au théâtre du Châtelet, le 17 mai 1917, le ballet *Parade* ne reçoit pas un accueil chaleureux. Pourtant, au cours de cette première représentation, Guillaume Apollinaire prononce pour la première fois un mot étrange, à propos des personnages créés par Picasso et Cocteau : « surréels »... Un mot qui va faire son chemin.

Fasciné par la danse, Picasso s'éprend d'une des danseuses de la troupe de Diaghilev, Olga Kokhlova, fille d'un général russe

Quelques mois plus tard, Diaghilev emmène toute la troupe à Barcelone. Picasso les accompagne. Barcelone est sa ville. Il y est chaleureusement accueilli par ses vieux amis. Sa sœur Lola vient d'épouser un médecin, Juan Vilato, et sa mère habite avec eux. Pablo prend une petite chambre près du port et se remet à peindre. Étrangement, ce qui apparaît alors sur ses toiles est très éloigné du cubisme. Ce sont des formes traditionnelles : des objets qui ressemblent tout à fait à la réalité qui a servi de

Portrait d'Erik Satie, 1920. A 50 ans, Satie, de quinze ans l'aîné de Picasso est un personnage dont les manières autant que la musique sont extravagantes. Il n'est connu du grand public que depuis quelques années, grâce à ses amis Debussy et Ravel.

Rideau de scène de *Parade,* 1917. Dès la première représentation le public se déchaîne. Les amateurs de ballet romantique exècrent *Parade.* Le rideau de scène de Picasso est devenu une pièce de musée.

modèle. Le tableau le plus frappant de cette nouvelle époque réaliste est un portrait d'Olga dans lequel Picasso a mis toute son émotion. Un extraordinaire portrait, un grave visage, avec un éventail d'Espagnole et un fauteuil à ramages. Ceux qui voyaient en Picasso un ennemi de la beauté classique sont bien obligés de reconnaître, en voyant ce portrait, qu'ils se sont trompés.

Quand les Ballets russes quittent Barcelone pour une tournée en Amérique du Sud, Olga Kokhlova reste avec Picasso. Ils reviennent ensemble à Paris à l'automne 1917 et s'installent dans la petite maison de Montrouge. Olga parle couramment le français et elle adore les histoires

Caricature de Jean Cocteau, le nouvel ami de Picasso. Paris 1917 (à gauche).

fantastiques que Pablo lui raconte avec son fort accent espagnol.

Le 12 juillet 1918, Picasso et Olga se marient à l'église russe de la rue Daru. Les témoins sont Apollinaire, Cocteau et Max Jacob. Aussitôt après leur mariage, Olga et Pablo emménagent dans un immense appartement de deux étages, rue La Boétie. Huitième arrondissement, quartier élégant, mondain, le faubourg Saint-Honoré est à deux pas, les boutiques de fourrure succèdent aux hôtels particuliers. Une fois encore le changement de décor est total. Mais aussi le changement de vie : Picasso s'habille maintenant avec pantalon à plis et porte une canne, et les costumes trois-pièces s'entassent dans son armoire. Olga meuble richement le salon et la salle à manger. Elle y dispose une quantité impressionnante de sièges destinés à recevoir les nombreux visiteurs qu'elle a l'intention de convier. Picasso installe son atelier à l'étage au-dessus. Il y case son fouillis d'objets, ses tableaux, toute la collection qu'il commence à posséder, Rousseau, Matisse, Cézanne, Renoir.

Depuis son mariage, Picasso habite les beaux quartiers et sa vie quotidienne a changé de décor

A présent, les amis disent : « Picasso fréquente les beaux quartiers. » Et, de fait, une vie mondaine commence, avec réceptions fastueuses, soupers. Les invitations pleuvent chez les Picasso. Et quand ils rendent la politesse, les nouveaux amis n'ont rien à redire sur le service : impeccable, fait par des domestiques stylés... Cette fois, une page est tournée pour de bon. La toile de fond qui a vraiment changé dans la vie de Picasso, c'est sa vie quotidienne.

Mais, depuis qu'il est dans les beaux quartiers, Picasso voit moins ses vieux amis. Braque, de retour de la guerre où il a été grièvement blessé à la tête, est de santé précaire et d'humeur difficile. Il désapprouve la nouvelle façon de vivre de Picasso. Surtout, elle l'ennuie. Apollinaire est, lui aussi, revenu gravement blessé. Il s'est marié en mai 1918, mais, alors que chacun croit qu'il est définitivement en voie de guérison, Apollinaire meurt, victime de la terrible épidémie de grippe espagnole qui accompagne l'armistice. Il meurt le 11 novembre 1918, le jour même où les rues sont pavoisées des drapeaux de la victoire et de l'allégresse... Ce jour-là, Picasso se promène sous les arcades de la rue de Rivoli. Et tout à coup, comme il se fraie un chemin dans la foule, un coup de vent rabat sur son visage le voile noir d'une veuve de guerre ! Pris d'un sombre pressentiment, il rentre à la hâte chez lui. Il apprend quelques heures plus tard la mort de son ami. C'est un choc terrible.

Avec Apollinaire, Pablo perd le plus ancien et le plus compréhensif de ses amis de jeunesse. C'est toute une époque qui s'écroule. Il est littéralement accablé de chagrin. Au moment précis où le téléphone lui apprend la mort de son ami, il est devant un miroir en train de faire un autoportrait. Il abandonne aussitôt ce dessin. De ce jour, jamais plus il ne fera de portrait de lui-même.

On l'accuse de changer de style. Il répond : « Je dis les choses de la façon dont je sens que cela doit être dit. »

Picasso n'a pas seulement changé de milieu et de vie. Il a aussi changé de marchand. En cet immédiat après-guerre règne en France un farouche climat patriotique et anti-allemand. La peinture cubiste est qualifiée de « boche ».

Les biens des Allemands vivant en France ont été confisqués. Kahnweiler, le marchand et ami de Pablo depuis dix ans, est allemand : du jour au lendemain, la prestigieuse collection cubiste a été vendue, les pièces disséminées et il n'a plus de galerie.

Portrait d'Apollinaire, 1916. Picasso a dessiné d'un seul trait son ami poète en costume militaire : Guillaume Apollinaire revient de la guerre. Son calot masque le bandeau couvrant la blessure reçue au front. A l'occasion d'une exposition du peintre, Apollinaire avait écrit dans un article : « On a dit de Picasso que ses œuvres témoignaient d'un désenchantement précoce. Je pense le contraire. Tout l'enchante et son talent incontestable me paraît au service d'une fantaisie qui mêle justement le délicieux et l'horrible, l'abject et le délicat. »

En cette année 1918, son nouveau marchand s'appelle Paul Rosenberg. Il défend un art beaucoup plus réaliste, accessible au grand public, un art plus séduisant. Il organise des expositions dans sa galerie du faubourg Saint-Honoré. Le prix des toiles de Picasso est déjà très élevé pour un artiste d'à peine quarante ans. Picasso est en train de devenir riche, très riche.

Peu à peu, on voit apparaître sur ses nouveaux tableaux un style qu'on n'avait encore jamais vu : des figures drapées, des déesses antiques, aux formes massives, au corps et à l'immobilité de statues. Des tableaux d'un réalisme lourd, appuyé. Parmi les amateurs de peinture, certains critiquent violemment son changement de style, l'accusant d'avoir trahi le cubisme.

A ceux qui le taxent ainsi d'opportunisme dans ses changements de style, Picasso répond un jour dans une interview : « Chaque fois que j'ai eu quelque chose à dire, je l'ai dit de la façon dont j'ai senti que cela devait être dit. » Picasso ne change pas de style comme on change de vêtement ou d'idée. Cela répond au contraire à une profonde nécessité. C'est plutôt le flot jaillissant et continu d'idées bouillonnant en lui qui appelle cette multitude de formes, qui en a besoin pour s'exprimer. Et le style, c'est précisément cela : la manière la plus juste, la plus appropriée d'exprimer une idée forte. En réalité, pendant toute cette période, Picasso peindra des deux manières : réaliste et cubiste.

Dès 1914, Picasso est revenu à une représentation plus traditionnelle de la réalité. Dans le monde de l'art, c'est un cri unanime : « Picasso a lâché le cubisme. » Ce cri devient tumulte lorsque Picasso expose, en 1919, 1920 et 1921 des dessins que les critiques qualifient d'ingresques (inspirés d'Ingres) et des toiles d'un classicisme absolu. Mais Picasso est, lui aussi, véhément sur la question du style : « A bas le style ! Est-ce que Dieu a un style ? Il a fait la guitare, l'arlequin, le basset, le chat, le hibou, la colombe. Comme moi. L'éléphant et la baleine, bon, mais l'éléphant et l'écureuil ? Un bazar ! Il a fait ce qui n'existe pas. Moi aussi. Il a même fait la peinture. Moi aussi. »

Paulo Picasso, premier fils de Pablo Picasso

Paulo est né en février 1921. Cette année-là, Pablo loue une grande villa confortable à Fontainebleau. Il adore son fils, il aime Olga. Mais il n'est pas complètement heureux dans son nouveau rôle de père de famille embourgeoisé. Et même si son amour pour Olga est intact, comme on peut le voir dans les dessins qu'il fait d'elle allaitant son bébé, ou jouant du piano, il n'en confie pas moins aux amis venus le voir qu'il a envie de commander un réverbère et une pissotière pour débarrasser la pelouse de sa respectabilité.

Pourtant, c'est vrai, il est fou de son petit garçon ! Il aime le voir grandir, il adore jouer avec lui. Un jour, rue La Boétie, il s'amuse à décorer lui-même une des petites voitures miniatures de Paulo. Il parachève son œuvre avec un joli damier de couleurs sur le plancher. Mais Paulo éclate en sanglots : une « vraie » voiture n'a jamais de damier sur le plancher... Picasso est tout confus !

L'été, Picasso, Olga et Paulo quittent souvent Paris pour trois ou quatre mois. Après l'une de ces longues absences estivales, Picasso rentrant à Paris trouve l'armoire où sont rangés ses complets d'hiver dans un drôle d'état : ils pendent comme des feuilles mortes, devenus transparents, avec seulement les traces des fibres laineuses. Les mites ont dévoré tout ce qui était comestible ! Il ne reste que les piqûres, les grosses coutures, au travers desquelles on voit, comme aux rayons X, le contenu de ses poches : clés, pipes, boîtes d'allumettes et autres objets qui ont résisté à l'attaque des mites... Le spectacle enchante Picasso.
Et le problème de la transparence en peinture l'a toujours préoccupé ; dès le début du cubisme, quand le désir de voir derrière la surface des choses l'a conduit à écarteler leurs formes. Cette fois, c'est comme si la nature lui montrait le moyen de s'y prendre. L'été suivant, en Bretagne, apparaît sur les toiles de Picasso une nouvelle sorte de natures mortes cubistes : lumière transparente qui envahit le tableau, avec des stries donnant une espèce de fluidité comme à travers l'eau. Une transparence filtrée, rayée, comme si la lumière passait à travers des volets...

Olga cousant, 1921. Tranquillité, sérénité, classicisme. Ce dessin schématise admirablement l'état d'esprit du peintre en cette période de paix intérieure, liée à la maternité.

Femmes courant sur la plage, 1922.
Ces deux baigneuses sont des géantes. Leurs pieds semblent ébranler le sol. Et pourtant, elles courent, ivres de liberté et comme hors du temps, avec la grâce et l'élan des ballerines.
Dans les années vingt Picasso va régulièrement au bord de la mer. Fasciné par le corps des baigneuses, il leur fera subir d'étranges métamorphoses. Cette gouache servit de modèle pour le rideau d'un ballet de Cocteau et Darius Milhaud, *le Train bleu*, c'est-à-dire le train des vacances. Et puis il y a le séjour à Rome. Picasso a été profondément impressionné par la statuaire romaine de l'époque impériale.
La majesté des statues d'athlètes, de guerriers, de déesses, lui inspire un sens de la grandeur qui se communique à sa propre vision du corps humain. Et l'élément théâtral, toujours présent à cette époque de la vie de Picasso, se combine aux formes monumentales de l'Antiquité romaine.

Printemps 1925. Voici maintenant plusieurs années que Picasso dessine et peint des thèmes classiques d'une manière classique. Classiques, oui ! Et personne ne s'en étonne. Beaucoup de portraits de famille, beaucoup d'Olga, beaucoup de Paulo...
Et brusquement, au mois de juin 1925, sous les yeux des critiques éberlués, apparaît un tableau qui bouleverse tout sur son passage : *la Danse.*

CHAPITRE V

LA SOLITUDE D'UN GÉNIE

La Danse, 1925. Corps disloqués, couleurs criardes, mouvements syncopés des trois personnages : une femme la tête renversée, une jambe relevée et un sein en l'air ; une autre les bras levés comme une crucifiée ; le profil sombre d'un homme dont la main en forme de clou retient celle de la femme. A droite, Picasso photographié par Man Ray en 1937.

Le nouveau tableau est d'une violence inouïe. Une toile agressive, torturée, aux corps déformés comme par le feu ou la folie. Elle est violente de coloris, les danseurs ont l'air écartelés, les traits des visages sont distribués dans tous les sens. Par endroits, le tableau touche au cauchemar, à la monstruosité pure : visages terrifiants, cheveux comme des crins, doigts comme des clous... On est loin des sages petits *Paulo en Arlequin !*

C'est vrai, depuis quelque temps, un bouillonnement agite Picasso. Une sombre fureur gronde en lui. Son mariage semble basculer dans l'incompréhension et l'éloignement. La peinture de Picasso n'a pour Olga qu'une valeur mondaine ; son caractère autoritaire, son sens de l'organisation, son goût pour les convenances mettent Pablo hors de lui. Il se sent en prison. Il va briser ses chaînes. Il va éclater. Il éclate.

Olga n'est pas la seule origine de cette violence. De cette rupture. Il y a autre chose : un mouvement littéraire, culturel, d'une force extrême, qui se profile comme une lame de fond depuis 1924. Ce mouvement, c'est le surréalisme.

Quand Picasso exprime avec force un sentiment, que ce soit violence ou douceur, c'est toujours en peinture. *La Danse* soulève une véritable lame de fond. Il y a ceux qui adorent, ceux qui prennent violemment parti contre. Mais tous ceux qui suivent l'évolution de son œuvre sentent qu'est en train de se produire une de ces imprévisibles et provocantes ruptures de style auxquelles Picasso les a déjà accoutumés.

Portrait de Breton. En 1924, André Breton pose les bases de la poésie surréaliste dans le *Premier Manifeste du surréalisme :* l'exploration de l'inconscient et la recherche d'un langage nouveau, dégagé des contraintes de la « réalité ». En hommage à Apollinaire qui a inventé le mot, naît le surréalisme.

« La beauté sera convulsive », dit le surréalisme. Picasso se sent tout de suite proche de ce mouvement

La guerre a eu des effets divers. En art, comme ailleurs. Chez certains, elle a provoqué des réactions contre la violence de mouvements tels que le cubisme. D'autres ont vu naître le mouvement dada. Mais le mouvement dont Picasso se sent tout de suite le plus proche est le surréalisme.

Ses inventeurs s'appellent Paul Éluard, André Breton, Philippe Soupault, Louis Aragon. Si Apollinaire était encore vivant, il serait parmi eux... Ils veulent constituer un groupe qui soit l'interprète de toute la pensée moderne. Leur mot d'ordre : « Il faut une nouvelle Déclaration des droits de l'homme. » Ils créent une revue : *La Révolution surréaliste.* Et dans le premier numéro figure une des « constructions » de Picasso datant de 1914. Surtout composé de poètes et de peintres, le groupe surréaliste prend une importance croissante, vraie, grande, riche, dans le mouvement moderne. Les surréalistes veulent plonger jusqu'aux racines de la création artistique en parcourant les paysages les plus enfouis du rêve, de l'inconscient. C'est ce qu'ont déjà tenté des poètes comme Baudelaire, Mallarmé ou Lautréamont. Ce qu'a déjà entamé un peintre comme Pablo Picasso.

André Breton écrit : « La beauté sera convulsive ou ne sera pas. » Quel tableau, peint précisément à cette époque, exprimerait ces paroles mieux que *la Danse* de Picasso ? Breton explique ainsi le mot « surréalisme » : « Par lui, nous avons convenu de désigner un certain automatisme psychique qui correspond assez bien à l'état de rêve. » Comment Picasso aurait-il pu ne pas être attiré par le surréalisme naissant ? Lui qui ne cesse de peindre, de regarder au-delà des choses ou en deçà d'elles. Lui qui ne peint jamais les choses dans leur « réalité réelle », mais dans leur « réalité sur-réelle ». Exactement ce qu'André Breton appelle le « modèle intérieur ».

Guitare, 1926.
Une serpillière trouée, des ficelles, des clous et une bande de papier journal : c'est une guitare. L'intention de l'œuvre est si agressive que Picasso voulait l'entourer de lames de couteau afin que s'entaillent les doigts de celui qui aurait eu l'intention de la toucher.

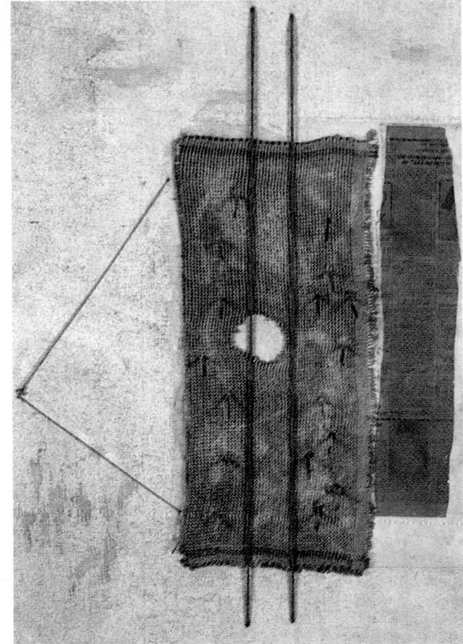

Au printemps 1926, il se met à faire une série de *Guitares,* composées d'assemblages agressifs d'étoffes, de ficelles, de vieux clous ou d'aiguilles à tricoter. La rupture est consommée avec l'harmonie, le bon goût, la convenance. La réalité des objets, c'est-à-dire leur fonction, est détournée. C'est sa manière à lui, Picasso, d'être surréaliste.

Mais si le groupe surréaliste l'attire et l'intéresse, il ne lui fait rien découvrir de bien nouveau : Picasso n'a pas attendu le mouvement pour faire des œuvres surréelles ! D'ailleurs, il est plus attiré par les poètes du groupe, qui deviennent ses amis – Pierre Reverdy, André Breton, Philippe Soupault... – que par les peintres.

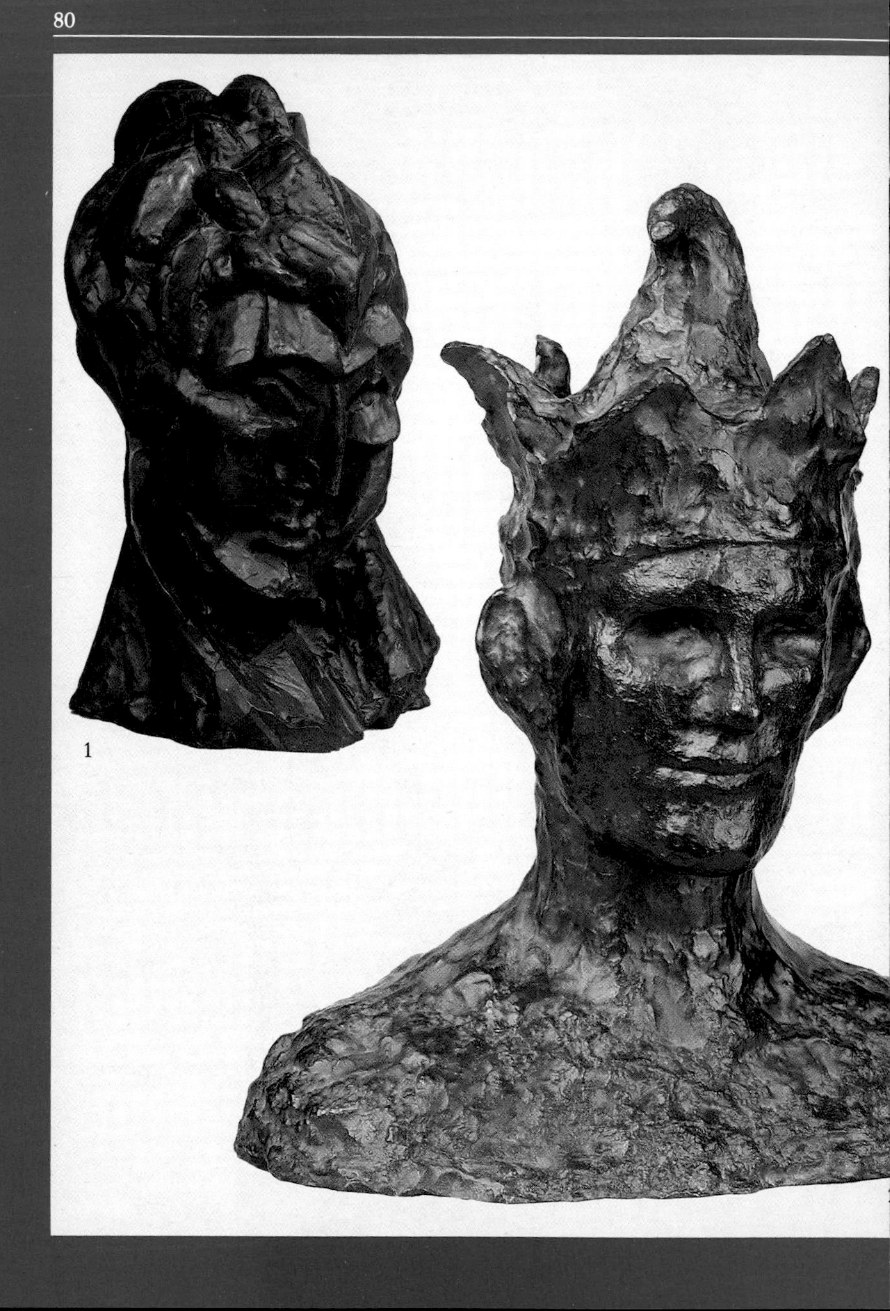

1

3

Fou et femmes de bronze

Picasso est l'un des plus grands sculpteurs du XXe siècle, puisqu'il a inventé toutes les formes de la sculpture, expérimenté de nombreux matériaux et de nouvelles techniques. Il a tour à tour modelé le plâtre, taillé le bois, découpé et plié le carton, la tôle, assemblé des objets trouvés par hasard, ouvrant ainsi la voie à toute la sculpture moderne.

En 1909, Picasso se met à casser le volume de la sculpture traditionnelle pour le décomposer en multiples facettes anguleuses : *Tête de Fernande,* (1).

L'une des premières œuvres est *le Fou,* 1905, (2), sculpture classique en ronde-bosse, qui reprend l'un de ses thèmes favoris, celui des saltimbanques. Ce visage était au départ le buste de son ami Max Jacob.

Dans les années 30 Picasso inaugure un nouveau procédé de modelage par empreinte de matériaux ou d'objets, choisis pour leur forme ou leur texture. Pour la tête, il coule du plâtre dans une boîte rectangulaire et fait trois trous, puis du plâtre dans du carton ondulé : les plis du vêtement sont semblable aux cannelures d'une colonne.
L'empreinte de la feuille avec ses nervures donne le frémissement de la vie à cette *Femme au feuillage,* 1934, (3).

Les grands baigneurs en bois

Picasso gardait tout et ramassait ce qui lui tombait sous la main (ficelle, boîtes, clous, objets usagés...) avec l'idée que «cela peut toujours servir». Bricoleur et «chiffonnier» de génie, il sait redonner vie aux objets les plus désuets, les plus quotidiens, les métamorphoser par le génie de son invention.

Les Baigneurs, 1956. Ils sont six, de gauche à droite : *la Plongeuse, l'Homme aux mains jointes, l'Homme-fontaine, l'Enfant, la Femme aux bras écartés, le Jeune homme.* C'est le seul groupe sculpté de l'œuvre de Picasso. Les personnages longs et géométriques sont faits de planches de bois grossièrement assemblées (dont le musée Picasso possède les tirages en bronze). On y distingue des pieds de lit, un manche à balai, des cadres de tableau. Sur le bois sont incisées des indications anatomiques. Avec des formes plates et simplifiées, Picasso arrive à créer des personnages expressifs et pleins de vie. Picasso a proposé une mise en scène de ces personnages : la plongeuse et l'homme aux mains jointes sont sur la jetée, la femme aux bras écartés et le jeune homme sur un plongeoir, l'homme-fontaine et l'enfant dans l'eau.

Les sculptures assemblages

Dès 1941, la sculpture est redevenue pour Picasso une activité première. Et là, à nouveau, il innove : il se met à assembler des objets hétéroclites, bizarres, trouvés dans les dépotoirs ou dans les terrains vagues. Ainsi une selle de bicyclette et un guidon rouillé deviennent-ils une tête de taureau pleine de vie, ainsi un vieux morceau de ferraille se transforme-t-il en un grand et noble oiseau. Une fois de plus, sans efforts visibles, Picasso a opéré des métamorphoses magiques.

La chèvre, 1950. Une feuille de palmier fait le dos ; un panier d'osier le ventre gonflé ; des morceaux de bois et de ferraille les pattes ; un fer la queue ; des ceps de vigne font les cornes et la barbiche ; du carton, les oreilles ; une boîte de conserve, le sternum ; deux pots de céramique, les pis ; un couvercle métallique plié en deux, le sexe ; et un bout de tuyau métallique, l'anus. Tous ces éléments sont assemblés par du plâtre. La chèvre a ensuite été coulée en bronze.

La Petite fille sautant à la corde, 1950. Deux vieux souliers, un panier pour le corps, un moule à gâteaux pour la fleur, du carton ondulé pour les cheveux. La sculpture ne touche pas le sol. « Ma petite fille qui saute à la corde, disait Picasso, comment la faire tenir en l'air puisqu'elle saute ? J'ai appuyé la corde sur le sol. »

Bras de fer pour tôles découpées

La dernière contribution de Picasso à la sculpture de son temps est la série des tôles découpées et peintes des années 60, qui développe le principe de la sculpture plane inauguré avec les Baigneurs, et renouvelle le procédé bien connu du pliage. Picasso prend une feuille de papier, la découpe en suivant un dessin préconçu, puis plie certains plans, ce qui lui permet de faire tenir les personnages et de suggérer un relief par les angles obtenus. Il fait ensuite réaliser en tôle ses maquettes de papier ou de carton.

Le footballeur, 1961. Avec ses formes pleines et rondes, ses couleurs gaies, il s'élance avec légèreté avant de frapper le ballon. La peinture permet de situer schématiquement son vêtement, son visage, ses pieds et ses mains. Picasso entretint toute sa vie un dialogue étroit entre la peinture et la sculpture : « Il suffit de découper sa peinture pour arriver à la sculpture » disait-il.

La Femme à l'enfant, 1961, est le résultat d'un pliage plus complexe. Le corps de l'enfant, suspendu dans les bras de sa mère, a été plié, puis découpé à l'endroit des plis, ce qui crée des formes vides, comme dans les banderoles de papier décoratives que l'on fait enfant. Ces sculptures, malgré la tôle, conservent la fragilité et la légèreté de leur matériau d'origine.

En ces années 1925 et 1926, l'arrivée du surréalisme ne fait que renforcer un mouvement de violence et de rupture qu'il porte en lui depuis quelque temps déjà. Tout bascule à nouveau.

Un nouveau visage, un nouveau modèle, une nouvelle femme, Marie-Thérèse, que Picasso aime à peindre

Marie-Thérèse Walter a dix-sept ans. Pablo l'a rencontrée dans la rue, un jour froid de janvier 1927, près des Galeries Lafayette. Quand il lui a dit son nom, Picasso, elle a ouvert grands les yeux. Elle ne connaissait pas. Picasso est tombé éperdument amoureux.

Marie-Thérèse est étonnamment belle. D'une beauté calme, profonde, sculpturale, réfléchie. Elle est farouchement indépendante et libre d'esprit. Picasso lui a dit tout de suite : « Nous allons faire de grandes choses ensemble. » Depuis, il ne cesse de peindre et de repeindre son beau visage. Il a trouvé à Marie-Thérèse un logement tout près de chez lui, rue La Boétie... Mais cette liaison passionnée restera secrète pendant des années.

Ce qui transparaît de Marie-Thérèse durant toutes ces années, c'est, à travers la peinture et la sculpture de Picasso, les belles lignes graves, les belles formes pleines que lui inspirent son visage, son corps, son amour pour elle. Cela se traduit par un renouveau pour le grand style classique. Par exemple, ses gravures de ce qu'on a appelé la « suite Vollard » : une centaine de planches avec des dessins tout simples au trait, représentant des personnages antiques, un sculpteur en train de tailler sa sculpture dans le marbre, des êtres mythologiques, des dieux et des déesses.

Marie-Thérèse Walter à Dinard, été 1929. A gauche, *Buste de femme,* 1931. Cette sculpture en bronze, au grand nez dans le prolongement du front, représente Marie-Thérèse. Elle a été réalisée à Boisgeloup, dans les hautes écuries que Picasso a transformées en ateliers de sculpture. Picasso ne se lasse pas de son nouveau modèle, de ses formes rondes et pleines, de sa grâce voluptueuse, qu'il glorifie à travers sculptures, peintures et gravures.

Picasso trouve au manoir de Boisgeloup un lieu en harmonie avec l'état de paix et de bonheur qui est alors le sien

En 1931, Picasso achète aux environs de Paris un ravissant manoir du XVIIe siècle. Il se trouve juste en bordure du joli village de Boisgeloup, à une dizaine de kilomètres de Gisors, dans l'Eure. Près du portail, une élégante petite chapelle gothique ouvre sur une grande cour qui commande une vaste demeure de pierre grise, coiffée d'un toit d'ardoise. Mais ce qui a surtout retenu l'attention de Pablo, c'est une longue rangée d'écuries... Picasso installe tout de suite des ateliers de sculpture et de gravure. Il a rencontré le graveur Louis Fort et le sculpteur Gonzalès. L'un et l'autre le poussent à reprendre gravure et sculpture.

Cette année-là, Picasso est heureux : il a trouvé à Boisgeloup une retraite où il peut travailler avec une concentration forcenée, condition essentielle pour lui de

Le Repos du sculpteur, eau-forte de 1931, fait partie d'une série intitulée *l'Atelier du sculpteur.* Depuis plusieurs années, il se trouvait sous contrat avec Vollard pour fournir au marchand de tableaux des illustrations. Au cours d'une période de dix ans prenant fin en 1937, Picasso devait remettre 100 gravures et eau-fortes. L'ensemble s'appellera la «suite Vollard».

trouver un bonheur durable. Ce bonheur retrouvé, l'existence de Marie-Thérèse, même lointaine et secrète, donnent naissance à un grand nombre de sculptures. Toutes sont des variations sur la tête de Marie-Thérèse. Avec Gonzalès, il découvre les nouvelles possibilités de la sculpture en fer. Le collage avait déjà révélé les choses inattendues qui pouvaient résulter de l'assemblage d'objets réels. Morceaux de ferraille, ressorts, couvercles, passoires, boulons et écrous choisis avec soin dans les décharges publiques : tout peut être combiné...
Ou bien Picasso prend le canif qu'il a toujours dans sa poche et taille de longs morceaux de bois en figure humaine qu'il fait ensuite couler en bronze.

Dans les moments durs, Sabartès est là, l'ami fidèle, l'ami de toujours qui reste dans l'ombre

Boisgeloup est une période heureuse. Mais c'est le calme avant la tempête. La mésentente avec Olga est devenue insupportable. En juin 1935, pour la première fois depuis des années, Picasso ne quitte pas Paris pour l'été avec sa famille. Il laisse partir Olga, Paulo, il échappe aux mondanités, il reste seul chez lui. Olga ne reviendra plus. Marie-Thérèse attend un enfant.

Il écrit à son ami Sabartès : « Tu peux penser ce qui s'est passé et ce qui m'attend encore. » La solitude de Picasso est devenue plus que celle, inévitable, du génie. Pour échapper au monde élégant et vide dans lequel il est entraîné depuis dix ans, il s'est caché, avec son travail comme seule consolation. L'amitié, l'affection ont toujours été pour lui indispensables. Aujourd'hui, il est seul et il appelle Sabartès au secours, lui demandant de venir à Paris pour l'aider, pour vivre avec lui ce moment difficile. Sabartès prend aussitôt le train : du jour de son arrivée à la gare Saint-Lazare jusqu'à la mort de Picasso, il restera son plus proche ami et confident.

Quelques mois plus tard, Marie-Thérèse donne à Picasso une fille, Maïa. Son vrai nom, c'est Maria de la Conception. Picasso a voulu l'appeler ainsi en souvenir de sa sœur Conception, la petite fille morte il y a bien longtemps à La Corogne.

Pendant cette époque qu'il appelle «la pire de ma vie», Picasso se met à écrire des poèmes

La vie quotidienne est devenue compliquée. Il y a Olga et Paulo, il y a Marie-Thérèse et la petite Maïa. Des avocats, qu'il paiera très cher, ne pourront jamais réussir à obtenir son divorce d'avec Olga : elle ne veut pas divorcer. Picasso est submergé, il en perd son calme, sa concentration. Surtout, il n'arrive plus à travailler. Il écrit dans une lettre : «C'est la pire époque de ma vie.» A l'automne, il fuit à Boisgeloup, son repaire, sa retraite. Là, en secret, il se met à écrire. Il écrit pour lui. Pendant des mois, il ne livre à personne ce qu'il note dans ces petits carnets, qu'il fait disparaître dès que quelqu'un apparaît. Puis, peu à peu, le besoin de communiquer l'amène à lire des fragments de ses carnets à des amis proches. Dans certains de ses premiers essais de Boisgeloup, toujours hanté par l'idée de substituer un art à un autre, d'écrire des tableaux et de peindre des poèmes, il s'est servi de gouttes de couleurs pour représenter des objets, des mots dans ses poèmes. Puis il s'est mis à écrire en ponctuant des phrases toutes visuelles, toutes colorées, fortement, essentiellement, d'une manière bien à lui.

Baigneuse ouvrant une cabine, 1928. Les toiles de 1927-1929 livrent une représentation étrange, distordue, énigmatique du personnage féminin. Les femmes se désarticulent, prennent des allures grotesques ou menaçantes. C'est la partie la plus célèbre de son œuvre, celle aussi qui a fait le plus scandale puisque Picasso s'en est pris à ce qui paraissait le plus sacré dans la peinture : la beauté féminine.
A gauche, Picasso dans son atelier de la rue La Boétie en 1929. On peut voir par terre la petite toile de la *Baigneuse ouvrant une cabine.*

Exactement comme il a pu auparavant faire des collages. Il traite le mot comme un papier découpé, la couleur de la toile comme une ponctuation pour séparer les phrases. Les mots sont comme la couleur sous le pinceau du peintre. Couleurs qu'avivent les mots et que les mots font bruire ! Les mots font chanter la couleur, Picasso aime cela, il aime écrire. Breton est un des premiers à accueillir les poèmes de Picasso avec enthousiasme. Plusieurs d'entre eux paraissent, dans un numéro spécial de la revue *Cahiers d'art.*

À droite, *Portrait de Maya à la poupée,* 1938. Un œil de face, l'autre de travers, le nez de profil avec deux narines, une grande bouche... Picasso veut, comme au temps du cubisme, la représenter sous deux angles en même temps. Malgré les déformations, on reconnaît bien Maya, la fille de Marie-Thérèse et de Picasso, peinte ici à l'âge de 3 ans. Dans ce tableau chaotique, seule la poupée est représentée de façon traditionnelle.

En 1936, la guerre civile éclate en Espagne : Picasso, bouleversé, prend fait et cause pour les républicains espagnols

En mars 1936, Pablo part pour Juan-les-Pins, avec Marie-Thérèse et Maïa. De nouveau, il est tourmenté, d'humeur sombre. Il n'arrive toujours pas à peindre, et cela le jette dans de profonds vertiges. Pendant six semaines, Sabartès reçoit des lettres confuses, noires, contradictoires : «Je t'écris tout de suite pour t'annoncer qu'à partir de ce soir j'abandonne la peinture, la sculpture, la gravure, la poésie pour me consacrer entièrement au chant.» Quelques jours plus tard : «Je continue à travailler, malgré le chant et tout.» Son humeur est changeante, pleine de désarroi et de trouble. Quelque chose a été cassé dans l'équilibre extérieur dont il a besoin pour travailler dans la sérénité. Cette fois encore, c'est un événement extérieur qui va le rappeler à lui-même.

En juillet 1936, la guerre civile éclate en Espagne. Les républicains contre le parti fasciste du général Franco. Picasso a toujours eu un amour vital, essentiel pour la liberté. La sienne, celle des autres. Avec la guerre d'Espagne, c'est celle de son peuple, de son pays qui est menacée. Sa sympathie va bien sûr immédiatement du côté des républicains.

Des Brigades internationales sont formées un peu partout en Europe pour défendre la cause de la liberté, aux côtés des républicains espagnols. Beaucoup d'amis de Picasso partent ainsi se battre en Espagne.

En cette époque qui va bientôt voir s'abattre sur l'Europe l'horreur nazie, la guerre d'Espagne est un nuage avant-coureur : partout en Europe, les hommes et les femmes lucides savent qu'il faudra résister. Être aux côtés des républicains espagnols, en 1936, revêt un sens plus que symbolique : la lutte contre le fascisme commence.

Depuis son retour de Juan-les-Pins, Picasso est d'humeur plus sociable. Il va presque tous les soirs dans un café de Saint-Germain où il passe de longues heures à bavarder avec ses amis. Un soir, Paul Éluard le présente à une de ses amies, une jeune fille grave aux beaux yeux sombres et pleins de feu. Ton rapide et décidé, intelligence comme le vif-argent, d'un caractère entier et direct, Dora Maar est peintre et photographe. Elle a fréquenté les milieux surréalistes. Son père, un riche Yougoslave, vit en Argentine et Dora parle couramment espagnol. Pablo a tout de suite avec elle de longues et vibrantes conversations... en espagnol. La langue de Pablo. Et l'autre langue de Picasso, sa peinture, Dora Maar la comprend aussi bien que la première.

En mai 1937, le sauvage bombardement de Guernica par les avions franquistes inspire à Picasso le plus grand tableau tragique du XXe siècle

L'été 1936, Picasso est à Mougins, un petit village des Alpes-Maritimes. Ses amis sont là, autour de lui : Dora Maar, Christian Zervos, l'éditeur d'art, et sa femme, le poète René Char, Paul Rosenberg, son marchand, le peintre et photographe Man Ray. A la terrasse de l'hôtel où logent Picasso, Éluard et Nush, autour de la grande table du dîner, la conversation revient sans cesse sur la guerre d'Espagne.

Les nouvelles sont mauvaises : le fascisme s'étend. Les républicains sont massacrés. 1937 est l'année choisie par le gouvernement français pour l'Exposition universelle. Pour les républicains du *Frente Popular,* il est vital que le gouvernement espagnol y soit bien représenté.
Ils demandent à Picasso de produire quelque chose pour le pavillon espagnol. Quelque chose qui montre clairement au monde de quel côté vont ses sympathies et son soutien. Picasso promet quelque chose de très grand. Quelque chose qui occupera un pan entier du pavillon espagnol de l'Exposition. Mais, pour cela, il faut un immense local où travailler. C'est Dora Maar qui trouve le local : rue des Grands-Augustins, en plein cœur de Paris, une belle maison du XVIIe siècle.

Le 1er mai 1937 parvient à Paris l'atroce nouvelle : les bombardiers allemands à la solde de Franco ont sauvagement attaqué la petite ville basque de Guernica. Ils ont bombardé la ville à l'heure où les rues sont pleines.

Un mois plus tard, le 4 juin 1937, un tableau sort de l'atelier : *Guernica* est jeté aux yeux du public. Au plus horrible des massacres Picasso vient de répondre par le plus violent, le plus bouleversant des tableaux qui ait peut-être jamais été peint. Aux sanglants bombardiers aveugles de l'horreur et de la bêtise, Picasso a répondu les yeux grands ouverts par une bombe de vitriol. *Guernica* sera le plus grand tableau tragique du XXe siècle.

Songe et Mensonge de Franco. En 1937, Picasso grave deux planches, accompagnées d'un poème : *Sueno y Mentira de Franco* (Songe et Mensonge de Franco), qui sont une protestation impitoyable contre la tyrannie du franquisme. Le dictateur espagnol y est représenté comme une sorte de Malbrough-s'en-va-t'en-guerre dont les aventures sont racontées dans des dessins rectangulaires qui font penser à une bande dessinée. Il accompagne cette œuvre d'une plainte : «...cris d'enfants, cris de femmes, cris d'oiseaux, cris de fleurs, cris de poutres et de pierres, cris de briques, cris de meubles, de lits, de chaises, de rideaux, de pots...» La violence de sa réaction devant la tragédie qui déchire son pays fait comprendre à quel point Picasso est resté espagnol.

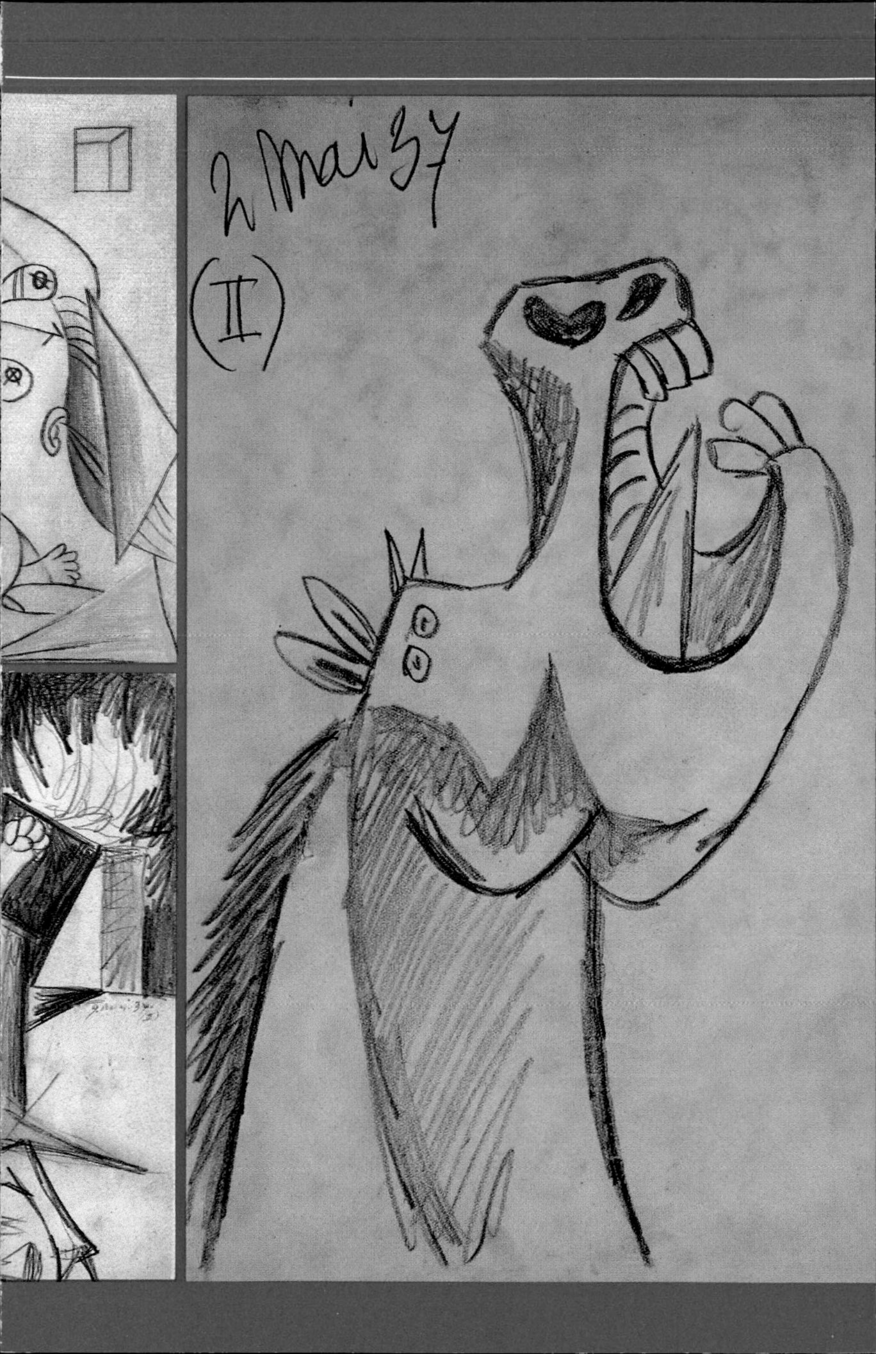
2 Mai 37
(II)

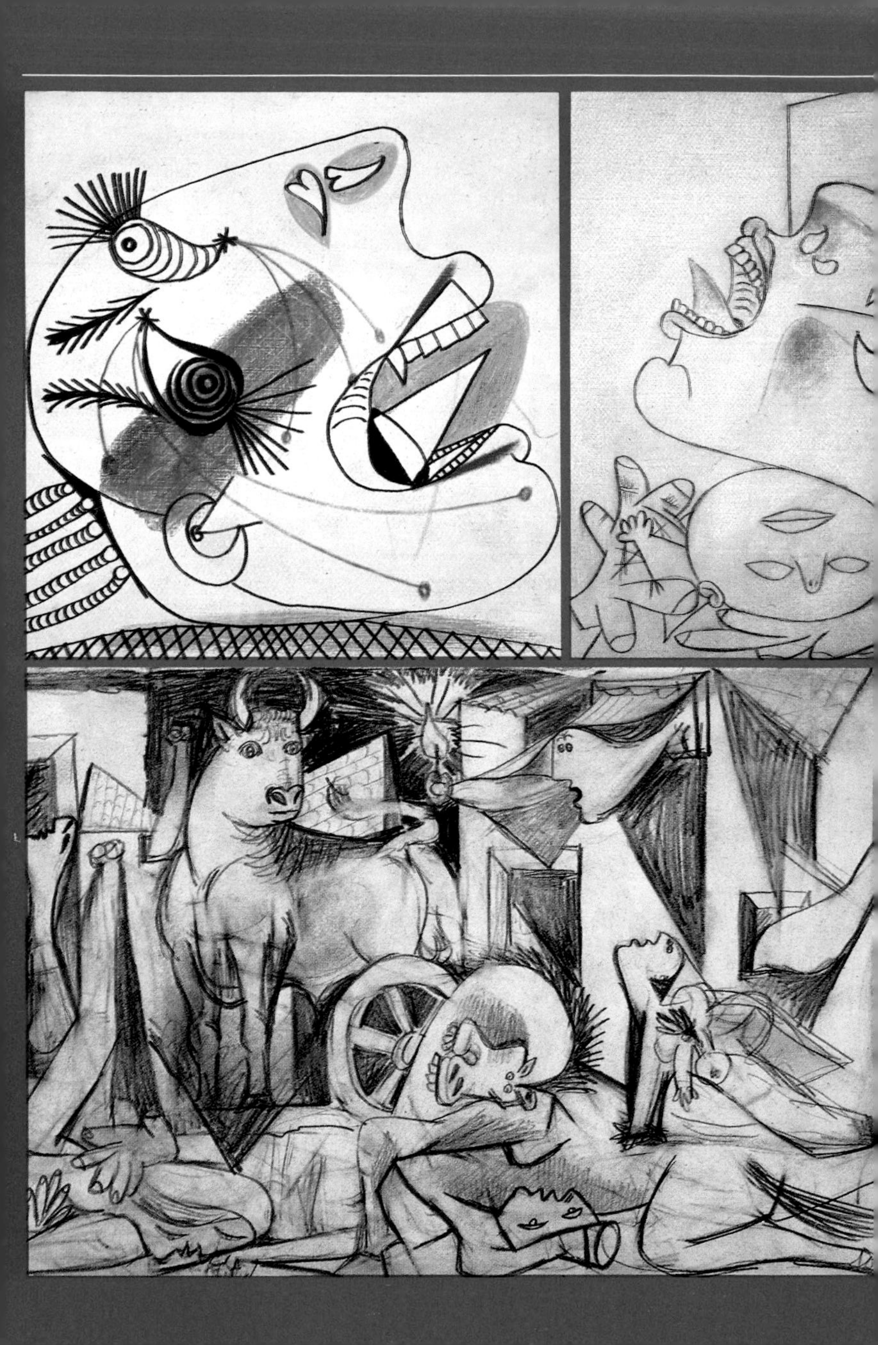

Guernica

Guernica, 1937 (dépliant pages précédentes). Il est difficile d'imaginer que ces modestes croquis (ci-contre) ont donné naissance à la plus puissante création picturale de Picasso : *Guernica,* symbole même de la révolte, du cri d'indignation devant les horreurs du fascisme. Entre le 1er mai et la fin juin 1937, Picasso a fait 45 croquis. Les éléments principaux apparaissent dès les premières esquisses : le taureau, la porteuse de lumière et le cheval. Picasso exprime dans cette toile un drame universel : celui de la guerre, de la violence aveugle, des enfants morts, des mères éplorées. Pour dire cela, il se sert de son univers personnel, et reprend les figures de la corrida, le cheval et le taureau symbole de «brutalité et d'obscurité». La tonalité générale des couleurs est celle du deuil : Picasso a volontairement limité sa palette au noir, au blanc et au gris. Les formes sont plates et simplifiées comme sur une affiche afin d'être plus frappantes. «Comment serait-il possible de se désintéresser des autres hommes et, en vertu de quelle nonchalance ivoirine, de se détacher d'une vie qu'ils vous apportent si copieusement ? Non, la peinture n'est pas faite pour décorer les appartements. C'est un instrument de guerre offensive et défensive contre l'ennemi.»

La Minotauromachie

La «minotauromachie» est un mot inventé par Picasso pour mêler les deux thèmes du Minotaure et de la corrida. Dans la célèbre gravure intitulée *la Minotauromachie* (1935), on voit le Minotaure s'avancer, menaçant, vers une petite fille à la bougie. La scène se passe au bord de la mer. Un homme barbu s'enfuit sur une échelle. Au centre, une jument effrayée porte sur son dos la femme-torero avec son épée. Deux jeunes filles avec une colombe regardent d'une fenêtre cette scène étrange. Cette gravure illustre le combat entre les forces du mal, les ténèbres de la nuit, personnifiées par le Minotaure, et celles du bien, de la lumière, de l'innocence, représentées par la petite fille. Dans la mythologie grecque, le Minotaure est le fils d'une reine de Crète, Pasiphaé, et d'un taureau sorti de la mer. Il a un corps d'homme et une tête de taureau, il est mi-homme mi-dieu. A cette mythologie qui le fascine, Picasso ajoute la sienne propre, celle de son pays. La corrida, ce combat tragique et mortel entre l'homme et l'animal : un animal qui symbolise la force tout en étant la victime. Picasso s'identifie souvent au Minotaure et commente : «Si on marquait sur une carte tous les itinéraires par où j'ai passé et si on les reliait par un trait, cela figurerait peut-être un Minotaure.»

Été 1939. L'année vient de s'écouler sous le signe d'un double visage, d'une double présence. Marie-Thérèse, Dora. Picasso a peint d'innombrables portraits, où un visage se substitue à l'autre. Un jour de janvier, il a même peint toute une série de portraits de l'une et de l'autre dans la même pose. Dora. Son visage profond fascine Picasso et il l'a peinte mille et mille fois, en pleureuse, en suppliante, le visage labouré de larmes.

CHAPITRE VI

ERREMENTS ET TOURMENTS

La Suppliante, 1937. Cette femme raccourcie, monstrueuse et effrayée, levant ses mains vers le ciel, exprime la souffrance des mères et des veuves déchirées par la guerre civile. A droite, Dora Maar en 1941.

En Europe, les événements politiques se précipitent. Hitler en Allemagne, Mussolini en Italie, Franco en Espagne : l'ombre de la guerre est là. Le mot est dans toutes les bouches. Picasso vient tous les soirs s'attabler dans un des cafés d'Antibes, où il passe l'été avec Dora. Dans les discussions, il apparaît que personne ne doute que la guerre va éclater.

L'Europe sombre dans la guerre, Picasso doit interrompre sa *Pêche de nuit à Antibes*

En août, Hitler envahit la Pologne. Les Français sont mobilisés. Comme en 1914, Picasso voit ses amis français partir, la ville se remplir de troupes. Particulièrement irrité de devoir interrompre sa *Pêche de nuit à Antibes,* il dit en plaisantant qu' « ils » ont dû déclarer la guerre uniquement pour le contrarier. Il quitte Antibes et regagne Paris.

En arrivant à Paris après une pénible nuit dans un train bondé, Picasso trouve la ville dans un état d'effervescence et de panique. On craint un bombardement immédiat. Il part aussitôt pour Royan en emmenant Dora Maar, Sabartès et le chien Kasbek. Marie-Thérèse et Maïa sont déjà là-bas.

A Royan, il a loué un appartement au dernier étage d'une villa. Vue imprenable sur la mer... « Ce serait bien pour quelqu'un qui se croirait peintre », dit ironiquement Picasso. Cependant, il peint. Et quand il peint, la guerre est loin. Pourtant, il n'y a pas de matériel : en guise de toile, il utilise des planches ; en guise de palette, des fonds de chaise en bois ; et, comme il n'y a pas de chevalet, il peint par terre, accroupi. En pleine guerre, en pleine débâcle, il peint. C'est ce qui l'empêche de céder à la panique générale qui s'est emparée des Français.

Pourtant, un jour de l'été 1940, Picasso voit entrer à Royan les casques d'acier, avec le sinistre déploiement des tanks et des canons allemands. Pétain et Hitler ont signé l'armistice. La France est occupée. Il n'y a plus de raison pour que Picasso reste en exil volontaire à Royan. Il retourne à Paris et s'installe définitivement dans son atelier de la rue des Grands-Augustins.

Restrictions, difficultés de ravitaillement, privations de toutes sortes, la vie à Paris pendant l'Occupation est dure. Les sirènes d'alerte hurlent quotidiennement. On circule peu. Picasso quitte rarement son quartier, excepté pour rendre visite à Marie-Thérèse et Maïa qu'il a installées

Pêche de nuit à Antibes, 1939. C'est la plus grande toile de Picasso depuis *Guernica.* En juillet de cette année, Picasso peint cette scène de la vie quotidienne du port : la pêche de nuit aux lamparos. La grosse lampe posée à l'avant de la barque attire les poissons par son faisceau lumineux. D'une fourche à quatre dents l'un des pêcheurs harponne un poisson carré ; l'autre se penche dangereusement au-dessus de l'eau pour en saisir à la main. Deux spectatrices – Dora Maar et Jacqueline Lamba, la femme d'André Breton – se promènent le long des quais en suçant une glace et poussant leur bicyclette. La nuit méditerranéenne est rendue par les couleurs bleu sombre et mauve. Les visages et les corps sont violemment déformés. L'ensemble du tableau semble découpé en facettes géométriques. Au sein de la vie quotidienne on sent la menace de guerre, car dans le vocabulaire de Picasso, poissons et crustacés sont signes de violence et de cruauté.

Chat saisissant un oiseau, 1939. La menace d'une guerre mondiale plane sur la France. Picasso ne peindra jamais la guerre elle-même. Mais durant toute cette période, sa peinture est imprégnée de la violence, de l'angoisse qui accompagnent la guerre. Et les sujets les plus quotidiens, tels qu'un chat et un oiseau, se transforment en images d'une cruauté presque insoutenable.

boulevard Henri-IV, ou pour aller dîner avec des amis au petit restaurant Le Catalan, surnommé ainsi en son honneur, à deux pas de chez lui.

Pour vaincre l'étouffante atmosphère de l'occupation allemande, Picasso s'enferme et travaille. Le poète Paul Éluard dit de lui : «Picasso peint de plus en plus comme Dieu ou le Diable.»

L'atmosphère est tendue. Il faut malgré tout inventer une nouvelle façon de vivre. Il faut réagir. Pour Picasso, cela veut dire chercher des voies dans lesquelles il est encore possible de créer, même quand la destruction est partout. Un soir de janvier 1941, au cours d'une longue soirée glaciale, Picasso ramasse un vieux cahier. Sur la couverture, il commence par écrire un titre : *le Désir attrapé par la queue.* Puis il dessine la première page : un portrait à l'encre de l'auteur tel qu'une mouche aurait pu le voir depuis le plafond de l'atelier, assis à sa table, les lunettes débordant du front et la plume à la main. Ce qui suit est une pièce de théâtre en six actes, une tragi-comédie bouffonne, une farce, avec des personnages qui s'appellent Gros-Pied, Angoisse grasse ou La Tarte et qui parlent essentiellement de nourriture. Picasso fabrique sa pièce en écriture automatique, l'écriture des surréalistes.

Quatre jours plus tard, le 17 janvier 1941 très exactement, il tire un trait à la fin du dernier acte et écrit : «Fin de la pièce». Les amis à qui il la fait lire se tordent de rire. Trois ans plus tard, une lecture entre amis sera organisée, chacun tenant le rôle d'un personnage : Jean-Paul Sartre, Simone de Beauvoir, Raymond Queneau, Michel et Louise Leiris, Georges et Germaine Hugnet. Tous parlent de cette représentation comme d'un événement mémorable.

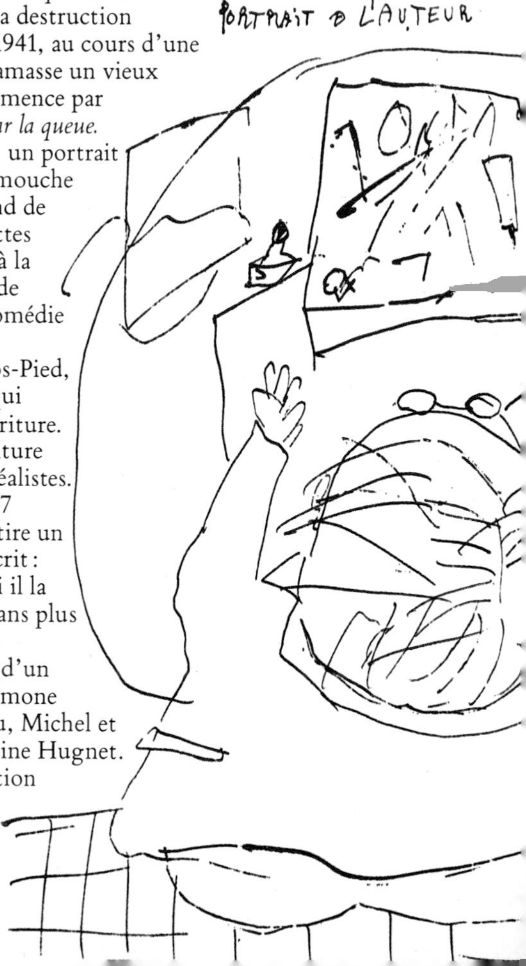

Illustration de Picasso pour le frontispice de sa pièce *le Désir attrapé par la queue,* 1941.

Au début de l'année 1944, Paul Éluard écrit : « Picasso peint de plus en plus comme Dieu ou le Diable. » Et il ajoute : « Il a été l'un des rares peintres à se conduire comme il faut et il continue. » Et c'est vrai. Pendant la guerre, certains artistes se sont laissé séduire par les propositions des Allemands qui essayaient « d'acheter » les artistes français.

Picasso continue à peindre une peinture taxée de «révolutionnaire», au nez et à la barbe des occupants nazis

La réputation de « révolutionnaire » de Picasso aurait pu suffire à elle seule à le condamner. Il est le maître incontesté de tout ce que Hitler craint et redoute le plus dans l'art moderne, il est le créateur de ce que les nazis appellent l'« art dégénéré » *(Kunstbolchevismus).* Avec *Guernica,* il a clairement manifesté sa haine du fascisme. Un jour, la Gestapo vient perquisitionner chez lui. Un officier nazi, voyant sur la table une photo de *Guernica,* demande : « C'est vous qui avez fait cela ? » « Non, vous ! », dit Picasso.

Au printemps 1944, il paraît en public à l'enterrement de son ami Max Jacob : Max a été arrêté comme juif et déporté dans un camp de concentration où il est mort.

Le sinistre arrière-plan de la guerre et des privations se fait sentir dans beaucoup de tableaux de cette période. Comme toujours, ce que peint Picasso, c'est ce qu'il voit. En cette période de guerre, ce sont d'innombrables crânes d'animaux éclairés par des bougies blafardes, des poireaux, des saucisses, des couteaux pointus et nus, brillants, des fourchettes tordues, affamées, dirait-on. Tout dans ces natures mortes rappelle la guerre.

Le matin du 24 août 1944, tout Paris est réveillé par le feu des tireurs embusqués sur les toits. Paris se libère. Une excitation fiévreuse s'empare de la ville. Picasso se trouve en plein centre, au cœur même de la bataille pour la Libération. Des amis

L'*Homme au mouton.* Coulé en bronze en 1943, Picasso en offrira un exemplaire, en 1950, à la mairie de Vallauris. On peut toujours le voir sur la petite place de Vallauris.

arrivent furtivement rue des Grands-Augustins pour lui raconter heure par heure le déroulement des événements. Ils repartent sous les explosions et les coups de canons. Picasso, lui, se jette dans le travail alors que les fenêtres de son atelier menacent à tout instant de voler en éclats. Tout en travaillant, il chante à tue-tête pour couvrir le fracas des rues.

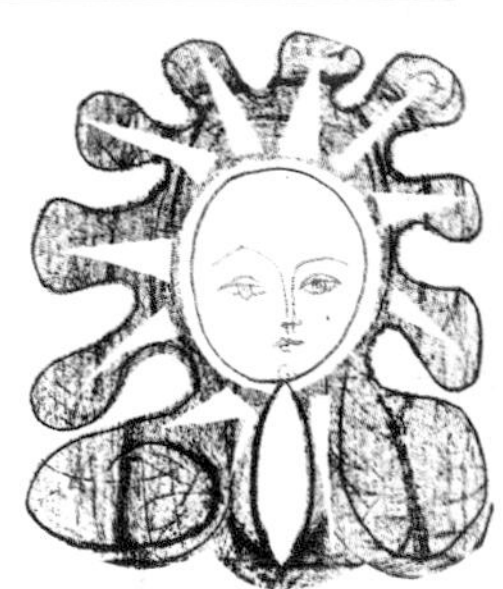

A peine le crépitement des armes a-t-il cessé que des amis servant dans les armées alliées commencent à arriver. Pendant toute la durée de la guerre, les nouvelles de Picasso ont été rares. On savait qu'il était resté à Paris. Dans Paris libéré, c'est une course à qui le trouvera ! Bientôt, le nombre de visiteurs qui se pressent autour de lui est presque accablant. Tous les matins, la longue pièce étroite à l'étage inférieur de l'atelier est pleine à craquer de visiteurs qui attendent. On les fait entrer par petits groupes dans l'atelier de sculpture qui se trouve au même étage. Picasso est littéralement assiégé, surtout par des Américains et des Anglais, ne parlant ni espagnol ni français. Il laissera une impression profonde sur des milliers de personnes venues le voir en ces jours de la Libération.

Le visage de son nouveau modèle est celui d'une femme peintre, qui va devenir sa compagne, Françoise Gilot

Automne 1945. Picasso vient de rencontrer un imprimeur, Fernand Mourlot. Le travail de Mourlot lui plaît énormément et lui donne envie de se remettre à la gravure qu'il n'a pas touchée depuis 1919. Il se rend presque tous les jours dans l'atelier de gravure de Mourlot. Dès les premières lithographies apparaît un nouveau visage de femme aimée, Françoise Gilot, rencontrée deux ans auparavant et qui, cette année, va venir vivre avec lui. Au printemps suivant, Picasso emmène Françoise dans le Midi, « son paysage » comme il le dit lui-même. Là où il est heureux. Et c'est vrai, avec Françoise qui est toute jeune, belle et peintre, Picasso est à nouveau heureux. Après toutes ces terribles années de la guerre, c'est à nouveau la liberté, et la liberté créatrice qui a repris le dessus. Il s'est remis à travailler énormément. Beaucoup de lithos chez Mourlot, mais aussi beaucoup de nouvelles toiles. Beaucoup de portraits de Françoise, de *Têtes de Françoise,* et puis des faunes encore, des centaures mythologiques, et de nouveau des minotaures. Ce minotaure qui revient avec la Méditerranée et pour lequel il éprouve une tendresse toute particulière, comme si c'était un peu lui-même.

Dans ce troupeau mythologique, parmi les faunes, les centaures, les chèvres et les danseurs nus, apparaît tout à coup un nouvel animal : une chouette. On lui en a apporté une, il y a quelque temps. Elle était blessée, Picasso l'a soignée, ils se sont pris d'affection l'un pour l'autre. Picasso est fasciné par sa chouette, par son œil brillant et fixe, son regard buté et distant, son regard qui en sait long.

Il a toujours adoré les oiseaux. La chouette et la colombe, apparemment si différentes, sont les compagnes de toute sa vie. Et elles ont toutes deux une profonde signification pour lui, sans doute chargée d'une mystérieuse superstition.

La chouette, avec sa tête ronde, semble regarder Picasso lui-même. Un jour, il prend pour plaisanter l'agrandissement d'une photo de ses yeux à lui, et place dessus une feuille de papier blanc où il dessine une tête de chouette. Il fait deux trous dans le papier... Le résultat est étonnant !

En septembre 1946, le conservateur du Musée d'Antibes met à la disposition de Picasso ses grandes salles claires pour y travailler. Merveilleux cadeau ! Picasso y installe aussitôt ses ateliers. Toutes les peintures faites là-bas constitueront le fonds du futur musée Picasso d'Antibes.

En cette fin d'été, Françoise attend un enfant.

Dans la vie de Picasso, deux colombes : *la Colombe de la Paix,* et sa fille Paloma dont le nom veut dire «colombe»

En 1949, un gigantesque Congrès de la paix organisé par le Parti communiste se tient à Paris. Picasso est entré au Parti cinq ans

Françoise en soleil, dessin, 1946.

Françoise Gilot, Picasso et son neveu Xavier Vilato, sur la plage de Golfe-Juan, été 1948.

Les yeux de braise de cette chouette dessinée par Picasso ne sont pas des yeux de chouette mais ceux de Picasso.

« Qu'est-ce au fond qu'un peintre ? C'est un collectionneur qui veut se constituer une collection, en faisant lui-même les tableaux qu'il aime chez les autres. »

Picasso

Cézanne : *la Mer à l'Estaque,* 1879 (1). La peinture de Cézanne est le point de départ du cubisme. «Si je connais Cézanne ! Il était mon seul et unique maître ! Vous pensez bien que j'ai regardé ses tableaux... J'ai passé des années à les étudier...» disait Picasso.

Matisse : *Nature morte aux oranges,* 1912 (2). Matisse le rival estimé, celui avec lequel Picasso entretient un dialogue fécond toute sa vie durant. Matisse c'est la couleur, l'harmonie, la plénitude et le bonheur ; Picasso le dessin, la dislocation, le conflit, le drame.

Braque : *Nature morte à la bouteille,* 1911 (3). L'ami des conquêtes héroïques du cubisme : «On s'est dit avec Picasso des choses que personne ne se dira plus... que personne ne saurait comprendre(...). C'était un peu comme la cordée en montagne.»

Rousseau : *Portrait de femme,* 1895 (4). Picasso remarqua ce grand tableau en 1908 chez un brocanteur. La fraîcheur de la vision du Douanier Rousseau apparaissait à Picasso et à ses amis comme une voie importante de la peinture.

plus tôt, juste après la Libération, comme un certain nombre d'intellectuels.

Adhérer au Parti communiste a eu un sens actif dans la lutte contre le nazisme, pendant la guerre. Picasso a déclaré lui-même à cette époque : « Je n'ai jamais considéré la peinture comme un art de simple agrément, de distraction… Ces années d'oppression terrible m'ont démontré que je devais combattre non seulement par un art mais par ma personne » (5 octobre 1944).

En janvier 1949, le Parti demande à Picasso de dessiner une affiche symbolisant le Mouvement de la paix. Picasso dessine une colombe. Comme les pigeons blancs qu'il garde en cage dans l'atelier de la rue des Grands-Augustins, comme ceux de Montmartre, comme ceux de Gosol, de La Corogne et des arbres de son enfance à Málaga… Au printemps 1949, la colombe de Picasso fait son apparition sur les murs de toutes les villes d'Europe.

Ce même printemps, une autre colombe a fait son apparition dans la vie de Picasso : sa fille Paloma (mot qui veut dire « colombe » en espagnol). Le petit Claude a maintenant trois ans. Paloma est le deuxième enfant qu'il a avec Françoise.

Vallauris : une petite ville de Provence, aux toits roses, au fond d'une vallée entourée de pinèdes

Les vignes, les oliveraies et les lavandes s'étagent en terrasses depuis les bordures de la ville. Picasso a découvert Vallauris il y a déjà quelques années en se promenant avec Éluard. Et Vallauris l'a séduit dès cette toute première fois. C'est là qu'il s'installe en 1948, avec Françoise et le petit Claude.

Vallauris est la ville de la céramique et des potiers, art que Picasso a découvert un an plus tôt. Très vite apparaissent sur les rayons des potiers de Vallauris des rangées de cruches en forme de colombes, de taureaux, de chouettes, d'oiseaux de proie, de têtes de femmes. Mais il terrifie ses amis potiers par son audace dans le traitement du matériau ! Il défie par exemple toutes les lois de la cuisson en poterie… Il arrive à faire des choses absolument impossibles. Prenant un vase que le chef potier vient de tourner, Picasso commence à le modeler entre ses doigts. Tout d'abord,

La Guenon et son petit, 1951. Grâce à des objets trouvés, ici deux petites autos, une cruche et une balle de ping-pong qu'il noie dans le plâtre, Picasso entreprend une série de sculptures et découvre en même temps une nouvelle technique : celle de l'objet du hasard, un hasard très travaillé bien entendu.

il pince le col de façon que la panse du vase devienne résistante à son toucher, comme un ballon. Puis, par quelques torsions et pressions adroites, il transforme l'objet utilitaire en une colombe, légère, fragile, respirant la vie... « Vous voyez, dit-il, pour faire une colombe, il faut commencer par lui tordre le cou ! » C'est un coup de main d'une incroyable délicatesse : si la pression est mal calculée, il faut remettre le tout en boule et recommencer. Avec Picasso un tel accident n'arrive jamais.

A Vallauris, Picasso est heureux, il se sent bien. Vallauris est pour lui un lieu de récréation, de détente, au milieu de cette nouvelle famille de potiers qui sont devenus ses amis. Tous les matins, on le voit apparaître dans l'atelier de poterie en short, sandales et maillot. Souvent, il va se baigner après avoir travaillé, en fin de matinée. Il est actif, tous ses gestes montrent une extraordinaire vitalité. Seuls ses cheveux blancs trahissent son âge. Picasso approche les soixante-dix ans.

Il est très absorbé par sa nouvelle famille. Il peint et dessine ses deux petits enfants, Claude et Paloma, leurs jeux, leurs jouets. Des enfants comme il les aime, gais, intrépides, impitoyables, débordant d'énergie. Il adore jouer avec eux et leur fabrique de petites poupées en un tournemain dans des morceaux de bois décorés de quelques traits de craie, ou des animaux qu'il découpe dans des morceaux de carton en leur donnant des expressions si drôles qu'ils font rire même les adultes. Il apprend à Claude à nager et à faire des grimaces. La plage de Golfe-Juan est le principal terrain de jeux, et la baignade du matin se prolonge souvent l'après-midi. La nouvelle se répand bientôt, en 1950 sur la Côte, que la famille Picasso se trouve tous les jours sur une certaine plage vers l'heure du déjeuner. Le résultat est qu'il y a en général beaucoup de monde au restaurant de la plage.

A Vallauris, la légende naît ainsi de sa présence quotidienne. Mais, en ce début des années cinquante, c'est un phénomène d'ampleur nationale qui se produit : le nom de Picasso est en train de devenir un symbole.

Cette *Chouette chevêche* a été modelée dans la terre de Vallauris, en 1953. Picasso avait découvert Vallauris quelques années plus tôt. Au cours d'un moment passé chez le potier Georges Ramié, il a pris un peu de terre et s'est amusé à modeler. Revenant quelques temps plus tard, il a été si ravi de voir la matière, la consistance qu'avaient pris ses essais cuits, qu'il s'est mis aussitôt à la céramique, avec passion. Cet art où se combinent la sculpture, la peinture et le dessin, c'est, pour Picasso, la «sculpture sans peine».

Têtes de femmes

Un œil de profil, l'autre de face, le nez de travers, le menton tordu dans une tête pointue ou boursouflée, surmontée de grotesques chapeaux... C'est ainsi que la plupart des gens voient la peinture de Picasso... Son nom est presque devenu un adjectif. «C'est du Picasso» entend-on dire dès que quelque chose est déformé... Pourquoi ces déformations ? Pourquoi Picasso s'amuse-t-il ainsi à bouleverser le visage humain, à le mettre sens dessus dessous ?

Marie-Thérèse, 1937. Toujours peinte dans des couleurs froides et tendres, bleu, vert, jaune, lilas, ses formes sont rendues par des lignes courbes, harmonieuses, des arabesques. On la reconnaît immédiatement dans les tableaux très différents que Picasso a faits d'elle. Il la représente en train de lire ou de dormir, abandonnée au regard du peintre.

Buste de femme au chapeau rayé, 1939. Chacun de ces portraits exprime une vision particulière des femmes. Elles sont drôles, pitoyables, dramatiques ou grotesques, avec leurs chapeaux ridicules perchés sur la tête. On dirait que le visage de cette femme a absorbé les motifs graphiques de son environnement, ici les rayures cannelées de son chapeau.

Femme en pleurs

Picasso fait d'abord un tableau, avant de faire un portrait de femme. Cela veut dire qu'il manie des formes, des traits, des couleurs, et que tout doit aller bien ensemble. Il utilise le visage ou le corps comme une construction, une nature morte dont il peut disposer les divers éléments, nez, oreilles, cou, où bon lui semble, rassemblant ces déformations simultanément dans un but expressif.

La Femme qui pleure, 1937. Lorsqu'on subit une émotion très forte, un choc violent, il arrive que l'on ressente physiquement et visuellement des transformations. De nombreuses expressions rendent compte de ces déformations : «les yeux vous sortent de la tête», «la bouche se crispe», le visage est «creusé» de larmes ou «à faire peur»... Ce sont tous ces sentiments mêlés que Picasso tente d'exprimer au moyen de la peinture. Et pendant la guerre tous ses portraits refléteront les «horreurs de la guerre».

Dora Maar, 1937. Elle est souvent représentée avec du noir, du rouge, des couleurs vives, des formes pointues. On reconnaît ses longs ongles peints en rouge, son menton rond et volontaire, ses yeux pétillants de vivacité et d'intelligence. Pendant la guerre,le visage de Dora Maar devient celui de la souffrance humaine. Elle symbolisera pour Picasso la «femme qui pleure», qui se tord de douleur.

La femme et la fleur

Picasso cherche non seulement à exprimer le caractère du modèle, ses signes particuliers, mais également les sentiments que celui-ci lui inspire... À chaque type de femme correspond un style particulier. Les déformations répondent aussi au désir de tout montrer sur une toile, donc de présenter la femme sous tous ses aspects en même temps, de face, de profil et de trois quarts. Mais comme il n'y a qu'une toile, il faut tordre le visage afin de donner à percevoir successivement toutes ses parties.

Portrait de Jacqueline, 1954. Jacqueline, avec son beau profil à la grecque, le nez droit dans le prolongement du front et ses grands yeux fendus en amande est pour Picasso la femme méditerranéenne par excellence. Picasso la représente souvent vêtue d'un costume turc et agenouillée à l'orientale. Dans ce portrait, il géométrise les plans de son visage afin de rendre la pureté rigoureuse de ses traits.

Femme dans un fauteuil, 1946. Françoise Gilot évoque pour Picasso la femme-fleur ou la femme-soleil. Il traduit plastiquement ses signes particuliers en les accentuant. Son abondante chevelure rayonne comme des pétales. Sa taille fine s'amincit comme une tige tout en supportant des seins ronds et épanouis.

La villa La Californie est une grande bâtisse de style Belle Époque, située sur les hauteurs de Cannes. Les pièces sont fraîches et lumineuses, éclairées de tous côtés par de grandes baies vitrées. Picasso vient de traverser une période sombre, difficile. Et en ce début d'été 1955, Picasso n'aspire qu'à fuir les visiteurs, les journalistes aux questions indiscrètes, à éviter toute publicité.

CHAPITRE VII
LES JOURS LUMINEUX

Portrait de Jacqueline en costume turc, 1955. Picasso la représente ainsi car il trouve que Jacqueline ressemble à une des odalisques du tableau de Delacroix intitulé *les Femmes d'Alger.*
A droite, Picasso dans les années 50, en train de dessiner une corrida.

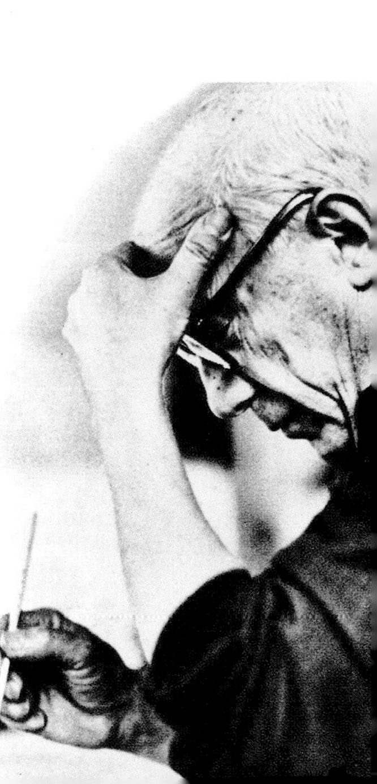

Deux ans auparavant, Françoise et Picasso se sont séparés, Françoise emmenant les deux enfants. L'indiscrétion des journaux qui traquent maintenant Picasso comme une vedette de cinéma est venue ajouter au trouble de ce douloureux moment. A La Californie, il retrouve le calme dont il a besoin pour travailler. A soixante-quatorze ans, il s'est remis à peindre avec ardeur. Il vit maintenant avec Jacqueline Roque.

Dans la spacieuse villa La Californie, Picasso a reconstitué l'invraisemblable bric-à-brac qui forme son décor quotidien

A La Californie, les pièces communiquent entre elles par de grandes portes. Picasso utilise toutes les pièces comme ateliers : dans chacune d'elles, quelque chose est en cours d'exécution. Malgré le mal que se donne Jacqueline, le désordre est terrible. C'est toujours la jungle de Picasso : des objets bizarres et hétéroclites, des caisses ouvertes çà et là, des fleurs desséchées dans un vase, des vêtements qui s'entassent, une lampe à la forme étrange, de la nourriture... Et, sur tout ça, les vastes baies vitrées grandes ouvertes laissent pénétrer à flots l'odeur des pins et des eucalyptus. Le soir tombe superbement sur les collines, et Picasso travaille, joue avec ses chiens ou sa chèvre, reçoit ses amis. Kahnweiler, Sabartès, les Leiris, Tristan Tzara, Jean Cocteau et Jacques Prévert ; ce sont des amis proches, toujours bienvenus, toujours accueillis à la grande table. Après les repas, on débarrasse la table de la salle à manger sur laquelle Picasso travaille à ses céramiques ou à ses dessins.

Cet été-là, le cinéaste Clouzot fait un film sur Picasso. L'idée de Clouzot est de filmer, grâce à une technique de son invention, le processus de création chez Picasso : le spectateur voit le tableau se réaliser comme par magie sous ses yeux. Picasso lui-même, au cours de la première présentation du film, est ravi du spectacle ! Il vient de terminer une grande série de quinze toiles, *les Femmes d'Alger,* qui sont des variations sur le tableau de Delacroix. Quand on l'interroge sur cette quantité d'études, il répond : « Le fait que je peigne un si grand nombre d'études fait simplement partie de ma façon de travailler. Je fais cent études en quelques jours, tandis qu'un autre peintre peut passer cent jours sur un seul tableau. En continuant, j'ouvrirai des fenêtres. Je passerai

Les Femmes d'Alger, de Delacroix (en haut). *Les Femmes d'Alger, d'après Delacroix,* de Picasso, 1955. En « imitant » Delacroix, Picasso a gardé la composition du tableau et les personnages, mais les a réinterprétés à sa façon. L'imitation des maîtres anciens est un thème qui a hanté tous les artistes des XIXe et XXe siècles à un moment ou à un autre de leur travail. Des peintres comme Manet ou Cézanne, des musiciens comme Prokofiev ou Stravinski, des poètes comme Cocteau. Le but recherché est presque toujours le même : se mesurer à une discipline classique ; l'imiter pour mieux la comprendre et s'en dégager. Dans les dernières années de sa vie, Picasso engage ainsi un curieux dialogue avec le passé en peignant 14 variations sur *les Femmes d'Alger* de Delacroix, 44 sur *les Ménines* de Velasquez et 27 sur *le Déjeuner sur l'herbe* de Manet.

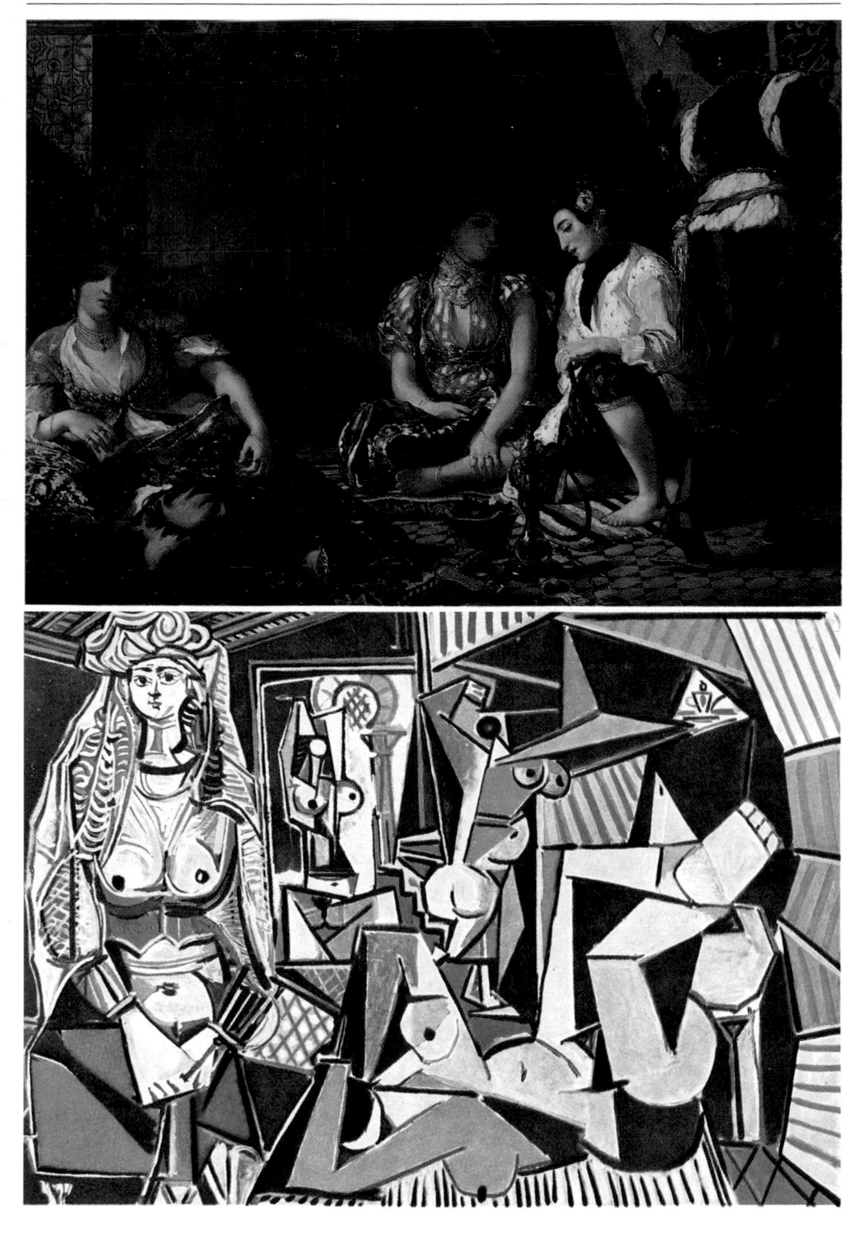

En 1955, Picasso s'installe dans une nouvelle demeure, la villa La Californie à Cannes. Il aménage la vaste salle de séjour en atelier, transformant ainsi un univers totalement baroque et surchargé en lieu de peinture. La Californie est un véritable capharnaüm dans lequel s'entassent les objets que Picasso aime : tableaux, sculptures, meubles. Une quinzaine de toiles ont été peintes sur ce thème de l'atelier que Picasso appelle son «paysage intérieur». Au centre, la toile vierge posée sur un chevalet. A droite, un portrait esquissé de Jacqueline en costume turc. A gauche, une petite sculpture, *Tête de femme,* en forme de losange, ainsi qu'un plat marocain. Picasso utilise comme motif décoratif pour rythmer sa composition les formes découpées des lambris des fenêtres.

derrière la toile et peut-être quelque chose se produira. »

Il achète le merveilleux château de Vauvenargues, au cœur du pays de Cézanne

Un jour de 1958, Picasso téléphone à son ami Kahnweiler pour lui dire : « J'ai acheté la Sainte-Victoire ! » Pensant qu'il s'agit d'un des nombreux tableaux de Cézanne représentant la montagne Sainte-Victoire, Kahnweiler lui demande : « Laquelle ? »... Picasso doit le convaincre qu'il ne s'agit pas d'une toile de Cézanne mais d'une propriété de huit cents hectares autour du vieux château de Vauvenargues, située sur la pente nord de la montagne ! L'achat s'est effectué très vite. Picasso a découvert Vauvenargues en se promenant. Il a eu pour le château, pour la sauvage vallée où il se dresse, un véritable coup de foudre.

Le château de Vauvenargues, près d'Aix-en-Provence, où vécut Cézanne, et où Picasso s'installe entre 1958 et 1961.

En septembre 1958, Picasso s'installe à Vauvenargues avec toutes ses toiles, et toutes celles des peintres dont se compose sa collection : Le Nain, Cézanne, Matisse, Courbet, Gauguin, Van Gogh, le Douanier Rousseau. Il travaille dans le grand salon où le buste d'un des anciens marquis de Vauvenargues trône sur la cheminée du XVIIIe siècle. Comme d'habitude quand il change de demeure, sa manière de peindre change. Il a retrouvé le pays de Cézanne, le peintre qu'il a toujours aimé. Il se plaît à dire : « J'habite chez Cézanne. » Il retrouve aussi, remontée du tréfonds de lui-même, une sombre veine espagnole qui donne tout à coup des tableaux sévères, graves. Il fait des portraits de Jacqueline dans des verts sombres, des noirs, des rouges profonds. Sur l'un d'eux il écrit : « Jacqueline de Vauvenargues ».

En date du 14 mars 1961, les gros titres des journaux annoncent que Picasso vient d'épouser Jacqueline Roque. Même les amis proches n'y croient pas. Tant de faux bruits courent sur Picasso d'un jour à l'autre... Pourtant, c'est vrai. Le mariage a eu lieu dans le plus grand secret, le 2 mars, à la mairie de Vallauris. Pour une fois, on a réussi à éviter le flot de curieux et de journalistes.

Notre-Dame-de-Vie, le dernier des lieux de Picasso, le lieu qui le verra s'éteindre

Le château de Vauvenargues est un lieu impressionnant de beauté, sauvage, solitaire. Mais c'est aussi un lieu où il est difficile de vivre à longueur d'année. Peu à peu, Picasso y

Maternité, 1971. La maternité est un thème qui revient souvent et avec force chez Picasso. Père lui-même pour la dernière fois à 67 ans, il l'a exprimé à travers des œuvres très diverses. A la fin de sa vie, alors qu'il a 90 ans, Picasso invente une nouvelle façon de peindre : figures sommairement esquissées, «dégoulinures», coups de brosse rapides et apparents. Il y a de plus en plus de couleurs sur sa toile. Cet aspect mal léché, apparemment négligé, est en réalité le signe d'une vitalité nouvelle.
La recherche, sans cesse renouvelée chez Picasso, témoigne d'une plus grande liberté en peinture.

fait des séjours de plus en plus courts. Et un jour, en 1961, l'occasion se présente de retrouver la solitude dans un lieu plus vivable, plus humain que Vauvenargues. C'est un ancien mas provençal au beau nom, Notre-Dame-de-Vie. Situé sur une colline près du petit village de Mougins, il est isolé tout en n'étant pas coupé du monde, puisque Cannes n'est qu'à huit kilomètres. Picasso s'installe avec bonheur dans les grandes pièces fraîches de Notre-Dame-de-Vie, avec ses terrasses d'oliviers et de cyprès.

27 mars 1963. A la dernière page d'un carnet rempli de somptueux dessins, Picasso a noté : « La peinture est plus forte que moi, elle me fait faire ce qu'elle veut. »
A quatre-vingt-deux ans, il est toujours aussi « habité » par la peinture, toujours poussé plus loin, avec la même impitoyable exigence. Et il travaille comme à trente ans. Comme si la peinture était la vie, que la vie le poussait

“Je ne cherche pas, je trouve.”

Picasso

à peindre, et que peindre lui redonnait tous les jours la vie.

Le 1er mai 1970, une gigantesque exposition des œuvres récentes de Picasso a lieu au Palais des Papes d'Avignon : 167 peintures, 45 dessins. Ceux qui découvrent en Avignon ces toutes dernières œuvres sont subjugués par un extraordinaire renouveau : à 89 ans, c'est une nouvelle manière qui apparaît sur ses tableaux, ce sont de nouvelles couleurs, de nouveaux sujets ! Ce sont des mousquetaires et des hommes à épées, des matadors. C'est toute l'Espagne qui revient. Picasso a d'ailleurs renoué des contacts avec l'Espagne et avec ses racines espagnoles. Grâce au plus fidèle, au plus dévoué de ses amis, Jaime Sabartès, le Museo Picasso s'est ouvert à Barcelone, dans un splendide palais du XVe siècle au cœur de la vieille ville. Et Picasso a donné à Barcelone la preuve qu'elle est la ville d'Espagne la plus chère à son cœur : il a fait don au Museo de presque toutes ses œuvres de jeunesse.

1973 : Picasso a quatre-vingt-douze ans. Et toujours aussi fortement ancré en lui le désir de provoquer l'émotion, de projeter la lumière sur des régions obscures. En usant de sa lumière à lui : la couleur, la forme, l'image, le symbole. Il a toujours la même inébranlable foi en son pouvoir de créer, et de donner la forme la plus juste, la meilleure, à ce qui doit être exprimé. C'est à cause de cet extraordinaire pouvoir de vie que sa mort nous prend de court.

Picasso meurt le 8 avril 1973 et le monde entier l'apprend avec stupeur.

On aurait pu croire qu'il y avait en lui une lumière qui n'allait jamais s'éteindre.

Il disait souvent : « Les peintures ne sont jamais terminées (...). Elles s'arrêtent habituellement le moment venu, parce que quelque chose arrive qui interrompt. »

« On n'a jamais fini de chercher parce qu'on ne trouve jamais. »

Picasso

TÉMOIGNAGES ET DOCUMENTS

Souvenirs,
croquis, lettres, photos,
poèmes : ceux qui l'ont connu,
aimé, admiré, racontent.

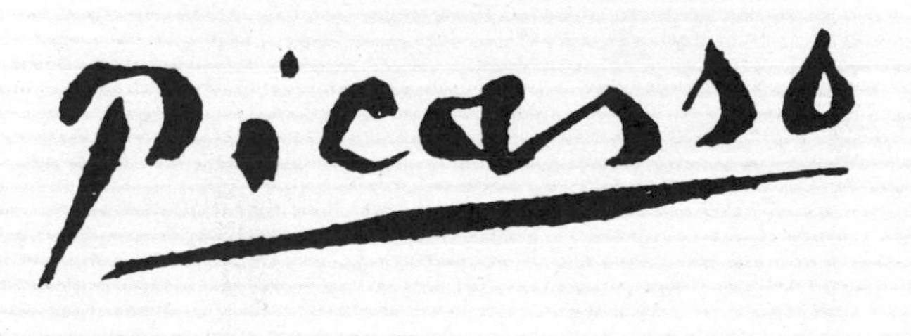

Souvenirs, témoignages

Picasso a très peu écrit sur son œuvre ou sur sa vie. Tout ce qu'il avait à dire, il l'a dit dans ses tableaux. Mais ses proches, ses amis, les femmes qui ont vécu près de lui, ont témoigné de cette vie. Ils ont souvent rapporté par écrit leurs rencontres, leurs conversations, leur quotidien avec Picasso. Ces récits, bien que subjectifs, nous laissent des documents exceptionnels et vivants sur la personnalité du peintre. On peut le voir ainsi vivre, travailler, parler.

Françoise Gilot. Peintre et compagne de Picasso entre 1943 et 1953. Elle lui donnera deux enfants, Claude (né en 1947) et Paloma (née en 1949).

(...) Ce jour-là, il a entrepris le portrait de moi qu'on a appelé La Femme-Fleur. Je lui ai demandé si cela le dérangerait que je le regarde travailler.

– Pas du tout. Au contraire, je crois même que cela m'aiderait, et je n'ai pas besoin que vous posiez.

Pendant tout un mois, je l'ai donc regardé peindre. Il passait de ce portrait à plusieurs natures mortes, sans utiliser la palette. Il avait, à sa droite, une petite table recouverte de journaux, sur laquelle étaient posées trois ou quatre grandes boîtes de conserves, pleines de pinceaux trempant dans de la térébenthine. Chaque fois qu'il en prenait un, il l'essuyait d'abord sur les journaux, qui ressemblaient à une jungle de traits et de taches de couleur. Quand il avait besoin d'une couleur pure, il pressait le tube directement sur les journaux. De temps en temps, il mélangeait de petites quantités de chaque couleur sur le papier.

A ses pieds, et tout autour du chevalet, il y avait une série de boîtes de conserves de tailles diverses, qui contenaient les gris et teintes neutres, et les autres couleurs qu'il avait mélangées d'avance.

Il pouvait travailler trois ou quatre heures de suite, ne faisait aucun geste superflu. Je lui ai demandé si cela ne le fatiguait pas de rester si longtemps debout. Il a secoué la tête : « Non. Pendant que je travaille, je laisse mon corps à la porte, comme les musulmans enlèvent leurs chaussures avant d'entrer dans la mosquée. Dans cet état, le corps existe de façon purement végétale, et

Picasso et Françoise Gilot à "La Galloise", à Vallauris, en 1951.

c'est pourquoi nous, les peintres, vivons généralement si longtemps. »

De temps à autre, il traversait l'atelier et allait s'asseoir dans un fauteuil d'osier à haut dossier gothique, qu'on retrouve dans beaucoup de ses toiles. Il pouvait rester là une heure, les jambes croisées, le coude sur le genou et le menton dans la main, à examiner la toile sans prononcer un mot. Ensuite, il se remettait généralement à peindre. Il disait quelquefois : « Je ne peux pas développer davantage cette idée plastique aujourd'hui » et il passait alors à une autre toile. Il y en avait toujours au moins une demi-douzaine, inachevées et à moitié sèches, parmi lesquelles il pouvait choisir. Il travaillait de la sorte de 2 heures de l'après-midi à 11 heures du soir, et s'arrêtait pour dîner.

Le silence dans l'atelier était total. Il n'était rompu de loin en loin que par un monologue de Pablo ou quelques échanges de phrases : nulle interruption ne venait du dehors. Quand le jour commençait à baisser, Pablo braquait deux projecteurs sur la toile, et tout alentour disparaissait dans l'ombre. « Il faut que l'obscurité soit complète autour de la toile, pour que le peintre soit hypnotisé par son travail et peigne à peu près comme s'il était en transe. Il doit rester le plus près possible de son monde intérieur, s'il veut transcender les limites que sa raison tente continuellement de lui imposer. »

Françoise Gilot,
Vivre avec Picasso

Daniel-Henri Kahnweiler (1884-1979). Écrivain, éditeur, historien d'art allemand, il fut le premier marchand de Picasso. Il ouvrit une galerie à Paris en 1907 et exposa l'avant-garde de l'époque : Braque, Matisse, Picasso...

« Donc, un beau jour, je me mis en route. Je savais l'adresse, 13, rue Ravignan. Pour la première fois j'ai monté ces escaliers de la place Ravignan que j'ai tant foulés plus tard pour entrer dans l'étrange bâtisse qu'on a appelée « le Bateau-Lavoir » plus tard car elle était en bois et en verre comme ces bateaux qui alors existaient où les ménagères venaient laver leur linge dans la Seine. Il fallait s'adresser à la concierge de l'immeuble voisin, la maison elle-même n'en avait pas. Elle me dit que c'était au premier étage en dessous, car cette maison, collée au flanc de Montmartre, a son entrée au dernier étage en haut et on descend aux autres étages. J'arrivai donc devant cette porte que l'on m'avait indiquée comme étant celle de Picasso. Elle était couverte de gribouillages d'amis qui donnaient des rendez-vous : « Manolo est chez Azon... Totote est venue... Derain viendra cet après-midi... »

Je frappai à la porte ; un jeune homme, jambes nues, en chemise, la poitrine débraillée, m'ouvrit, me prit par la main et me fit entrer. C'était le jeune homme qui était venu quelques jours plus tôt et le vieux monsieur qu'il avait amené était Vollard. Vollard, bien entendu, fit à ce sujet une de ses plaisanteries habituelles, racontant partout qu'il y avait un jeune homme à qui ses parents avaient donné une galerie pour sa première communion.

Donc, j'entrai dans cette pièce qui servait d'atelier à Picasso. Personne ne pourra jamais se faire une idée de la pauvreté, de la misère lamentable de ces ateliers de la rue Ravignan. Celui de Gris était peut-être encore pire que celui de Picasso, d'ailleurs. Le papier de tenture pendait en lambeaux des murs en planches. Il y avait de la poussière sur les dessins, les toiles roulées sur le divan défoncé. A côté du poêle une sorte de montagne de lave agglomérée qui était les cendres. C'était épouvantable. C'est là-dedans qu'il vivait avec une très belle femme, Fernande, et un très gros chien qui s'appelait Fricka. Il y avait aussi ce grand tableau dont Uhde m'avait parlé, ce grand tableau que depuis on a appelé *les Demoiselles d'Avignon* et qui constitue le point de départ du cubisme. Ce que je voudrais vous faire sentir immédiatement, c'est l'héroïsme incroyable d'un homme comme Picasso dont la solitude morale à cette époque était quelque chose d'effrayant, car aucun de ses amis peintres ne l'avait suivi. Le tableau qu'il avait peint là paraissait à tous quelque chose de fou ou de monstrueux. Braque, qui avait fait la connaissance de Picasso par Apollinaire, avait déclaré qu'il lui semblait que c'était comme si quelqu'un buvait du pétrole pour cracher du feu. Derain m'a dit, à moi-même, qu'on trouverait un jour Picasso pendu derrière son grand tableau tellement cette entreprise paraissait désespérée. Tous ceux qui connaissent le tableau maintenant le voient exactement dans l'état où il était alors : Picasso le considérait comme non terminé, mais il est resté exactement comme il était, avec les deux moitiés assez différentes. La moitié de gauche, presque monochrome, se rattache encore à ses figures de l'époque rose (mais elles sont ici taillées à coups de hache, comme on disait alors, modelées

Kahnweiler et Picasso à La Californie, dans les années 60.

beaucoup plus fortement) tandis que l'autre partie, très colorée, est vraiment le point de départ d'un art nouveau.

– Avez-vous parlé avec Vollard des *Demoiselles d'Avignon* ?

– Oh, vous savez, je n'ai guère vu Vollard à cette époque-là. Je ne le rencontrai que plus tard. Vollard ne venait chez Picasso que de loin en loin. Mais je sais bien que Vollard, à cette époque, n'appréciait pas ce que faisait Picasso puisqu'il ne lui achetait plus rien, ce qui est la meilleure preuve qu'il n'aimait pas sa peinture. Vollard avait certainement vu *les Demoiselles d'Avignon* qui devaient lui déplaire souverainement, comme à tout le monde, alors.

– Vous souvenez-vous de votre premier dialogue avec Picasso devant cette toile ?

– Non, ma foi, je me souviens simplement que tout de suite j'ai dû lui dire que je trouvais ses toiles admirables, car j'étais bouleversé. »

Kahnweiler,
Mes galeries et mes peintres

Brassaï (1899-1983). Photographe d'origine hongroise, il arriva à Paris en 1923 où il fit la connaissance de Picasso. Il photographia l'ensemble de ses sculptures, et fit de célèbres portraits du peintre.

Mardi 30 novembre 1943

Aujourd'hui je m'attaque à un *gros morceau : l'Homme à l'agneau.* Ce « bon pasteur » me regarde avec ses yeux de forcené. Il pèse lourd. Pas question de le déplacer. Je ne pourrais que le tourner autour de son axe. Et comment trouver une toile de fond convenable ? Et comment l'éclairer ? Au milieu de la pièce, il est complètement dans l'ombre.

Picasso entre dans l'atelier, en vive discussion avec un homme de belle prestance, élégant, portant une superbe calvitie. Il nous présente. Je ne retiens que son prénom, que Picasso ne cesse d'ailleurs de répéter : Boris, Boris... Boris est très attentif à mon éclairage de *l'Homme à l'agneau.* Il m'accable de ses conseils. « Faites ceci... », « Ne faites pas ça... », « Ce serait mieux de l'éclairer comme ça... ». Son insistance m'agace. Elle agace aussi Picasso, qui intervient : « Vous perdez votre temps, Boris. Brassaï connaît bien son affaire. Et votre expérience des rampes ne lui sert à rien... »

Je reste en tête à tête avec le berger, qui me donne beaucoup plus de mal que les autres statues. J'en fais plusieurs photos de face, de trois quarts, de profil... Chaque fois, pour le tourner, je le prends délicatement par la taille, car la brebis, qui fait des soubresauts dans ses bras, est bien fragile... J'ai presque fini. Mais, avant de le quitter, je veux le tourner encore une dernière fois, peut-être présente-t-il un autre angle intéressant... Je l'empoigne à nouveau et, doucement, je le fais pivoter d'un quart de cercle lorsque, avec un bruit sec, j'entends tomber et se briser sur le socle, en plusieurs morceaux, une des pattes de l'agneau, la patte libre précisément qui s'avançait hardiment...

Cet accident, je le redoutais depuis longtemps... Qu'il surviendrait fatalement, inévitablement, un jour, je le savais... Depuis trois mois que je soulève, tourne, avance, recule toutes les sculptures de Picasso, que je les pose sur les socles improvisés, instables, que j'exécute, sans aide la plupart du temps, ces manœuvres pleines de risques, c'est un miracle que je n'aie encore cassé aucune d'elles...

La première émotion passée, je me décide à avertir Picasso. Je sais qu'il considère, et avec raison, *l'Homme à l'agneau* comme l'une de ses œuvres maîtresses. Quelle sera sa réaction ? Il va certainement piquer une de ses violentes colères noires que, personnellement, je n'ai jamais eu l'occasion d'affronter... Ou serait-il préférable, afin d'amortir le choc, de prévenir d'abord Sabartés ? Il ne s'est pas montré ce matin... En examinant les débris de la patte, je constate qu'elle n'était pas bien solidement attachée au corps. Le clou même qui devait l'y maintenir avait fêlé le plâtre. La moindre secousse devait la faire tomber. C'était fatal... Et la Némésis de la sculpture me souffle : « Je ne tolère rien qui imprudemment se hasarde loin de sa base... Je décapite, ampute, mutile... J'abrase doigts, nez, oreilles, les jambes des Hercules et les bras des Vénus, tout ce qui s'écarte du corps... Ramassée sur elle-même, n'offrant aucune saillie au temps, aux vents, aux intempéries, aux vandales, aux photographes, semblable à un insecte recroquevillé, les extrémités rentrées, faisant le mort, ainsi je veux que soit la sculpture... » Je lui objecte

Brassaï photographiant la nuit, vers 1930.

que cette statue est vouée au bronze qui permet tout, tolère tout...

J'annonce la nouvelle à Picasso... Il ne crie pas, ne fulmine pas... Je ne vois sortir aucune flamme des naseaux du Minotaure... Serait-ce un mauvais signe ? N'ai-je pas entendu dire que ses colères froides, blémissantes de rage concentrée, étaient plus dangereuses encore que celles qui explosent sur-le-champ ? Il me suit sans prononcer un mot... C'est en technicien, en expert, qu'il examine les débris... Aucun morceau ne manque. Il a vu le clou, la fêlure. « Ce n'est pas très grave, me dit-il d'une voix calme. L'encoche n'était pas assez profonde. Je retaperai ça un de ces jours... »

Entre-temps Sabartés est revenu. Picasso l'avait averti de l'« accident ».

Sabartés : Je sais pourquoi vous l'avez cassée. Pour que d'autres photographes ne puissent pas la prendre... Et vous avez parfaitement raison ! Il faudrait qu'au fur et à mesure que vous photographiez les statues de Picasso, vous les cassiez toutes... Vous vous rendez compte quelle valeur prendraient vos photos ?

Lorsque, une heure plus tard, je le quitte, Picasso me dit : Je n'étais pas en colère, n'est-ce-pas ? »

Brassaï,
Conversations avec Picasso

André Malraux (1901-1977). Écrivain français, son engagement dans les Brigades Internationales pour défendre en 1936 l'Espagne républicaine et son amour de l'art en firent un interlocuteur privilégié de Picasso. Il organise en 1966, alors qu'il est ministre de la Culture, la grande exposition Picasso du Grand Palais.

Malraux : La tête d'obsidienne

L'un des moulages est celui de la statuette mutilée ; il en a trouvé un de la statuette reconstituée : le buste et les jambes jointes surgissent symétriquement du puissant volume de la croupe et du ventre.

« Je pourrais la faire avec une tomate traversée par un fuseau, non ? »

Il y a aussi de ses cailloux gravés, de ses petits bronzes, un exemplaire de *Verre d'absinthe*, et le squelette d'une chauve-souris. Il tire d'un rayon une *Crétoise*, me la tend. Les photos n'en transmettent pas l'accent incisif.

« Je les ai faites avec un petit couteau.

– De la sculpture sans âge...

– C'est ce qu'il faut. Il faudrait aussi peindre de la peinture sans âge. Il faut tuer l'art moderne. Pour en faire un autre.
On dit : nous aimons ce qui nous ressemble. Ma sculpture ne lui ressemble pas du tout, à mon idole ! Elle ne devrait être aimée que par Brancusi, alors ? Les ressemblances ! Dans *les Demoiselles d'Avignon*, j'ai peint un nez de profil dans un visage de face. (Il fallait bien le mettre de travers, pour le nommer, pour l'appeler : nez.) Alors, on a parlé des Nègres. Avez-vous jamais vu une seule sculpture nègre, une seule, avec un nez de profil dans un masque de face ? Nous aimons, tous, les peintures préhistoriques ; personne ne leur ressemble ! »

Au temps de *Guernica*, il m'a dit, dans ce même atelier : les fétiches ne m'ont pas influencé par leurs formes, ils m'ont fait comprendre ce que j'attendais de la peinture. Il tient et regarde l'idole-violon des Cyclades. Son visage naturellement étonné redevient le masque intense qu'il a pris quand il a regardé les photos. Changement instantané. Télépathique. (Braque m'a parlé de son « côté somnambule ».) Il n'a pas fait un geste, il continue à parler ; la lumière et l'atmosphère sont les mêmes ; des bruits continuent à monter de la rue. Mais il vient d'être pris d'une angoisse et d'une tristesse communicatives. Je l'écoute, et j'entends une phrase qu'il disait au temps de la guerre d'Espagne : « Nous, les Espagnols, c'est la messe le matin, la corrida l'après-midi, le bordel le soir. Dans quoi ça se mélange ? Dans la tristesse. Une drôle de tristesse. Comme l'Escurial. Pourtant, je suis un homme gai, non ? » Il semble gai, en effet. (...)

André Malraux,
la Tête d'obsidienne

Christian Zervos (1889-1970). Écrivain, marchand et éditeur d'art d'origine grecque, il crée en 1926 la revue Cahiers d'Art *qui publie de nombreux textes sur Picasso et sur son œuvre. En 1932, il commence le catalogue complet de ses œuvres dont le dernier numéro paraîtra en 1978.*

Conversation avec Picasso

Je me comporte avec ma peinture comme je me comporte avec les choses. Je fais une fenêtre, comme je regarde à travers une fenêtre. Si cette fenêtre ouverte ne fait pas bien dans mon tableau, je tire un rideau et je la ferme comme je l'aurais fait dans ma chambre. Il faut agir avec la peinture, comme dans la vie, directement. Bien entendu la peinture a ses conventions, dont il est indispensable de tenir compte, puisqu'on ne peut faire autrement. Pour cette raison il faut avoir constamment sous les yeux la présence de la vie.

L'artiste est un réceptacle d'émotions venues de n'importe où : du ciel, de la terre, d'un morceau de papier, d'une figure qui passe, d'une toile d'araignée. C'est pourquoi il ne faut pas distinguer entre les choses. Pour elles il n'y a pas de quartiers de noblesse. On doit prendre son bien où on le trouve, sauf dans ses propres œuvres. J'ai horreur de me copier, mais je n'hésite pas, lorsqu'on me montre par exemple un carton de dessins anciens, à y prendre tout ce que je veux. (...)

Le peintre subit des états de plénitude et d'évacuation. C'est là tout le secret de l'art. Je me promène dans la forêt de Fontainebleau. J'y attrape une indigestion de vert. Il faut que j'évacue cette sensation sur un tableau. Le vert y domine. Le peintre fait de la peinture, comme un besoin urgent de se décharger de ses sensations et de ses visions. Les hommes s'en emparent pour habiller un peu leur nudité. Ils prennent ce qu'ils peuvent et comme ils peuvent. Je crois que finalement ils ne prennent rien, ils ont tout simplement taillé un habit à la mesure de leur incompréhension. Ils font tout à leur image, depuis Dieu jusqu'au tableau. C'est pourquoi le piton est le destructeur de la peinture. Celle-ci a toujours quelque importance, au moins celle de l'homme qui l'a faite. Le jour où elle a été achetée et accrochée au mur, elle a pris une importance d'une autre espèce, et la peinture a été fichue.

L'enseignement académique de la beauté est faux. On nous a trompés, mais si bien trompés qu'on ne peut plus retrouver pas même l'ombre d'une vérité. Les beautés du Parthénon, les Vénus, les Nymphes, les Narcisses, sont autant de mensonges. (...)
Tout le monde veut comprendre la peinture. Pourquoi n'essaie-t-on pas de comprendre le chant des oiseaux ? Pourquoi aime-t-on une nuit, une fleur, tout ce qui entoure l'homme, sans chercher à les comprendre ? Tandis que pour la peinture, on veut comprendre. Qu'ils comprennent surtout que l'artiste œuvre par nécessité ; qu'il est, lui aussi, un infime élément du monde, auquel il ne faudrait pas prêter plus d'importance qu'à tant de choses de la nature qui nous charment mais que nous ne nous expliquons pas. Ceux qui cherchent à expliquer un tableau, font la plupart du temps fausse route. Gertrude Stein m'annonçait, il y a quelque temps, joyeuse, qu'elle avait enfin compris ce que représentait mon tableau : trois musiciens. C'était une nature morte !

Christian Zervos,
Cahiers d'Art, 1935

Hélène Parmelin. Écrivain et femme du peintre Édouard Pignon. Ils furent tous deux de grands amis de Picasso et de son épouse Jacqueline dans les années 50.

La peinture n'est pas inoffensive

A propos de la fâcheuse habitude qu'ont certains de considérer que la peinture, en fin de compte, ne tire pas à conséquence, que « cet animal n'est pas dangereux », Picasso s'écrie : « Il faut faire très attention avec ça. C'est très bien, c'est très joli de faire un portrait avec tous les boutons de l'habit et même les boutonnières, et le petit reflet sur le bouton. Mais attention!... Il arrive un moment où les boutons se mettent à vous sauter à la figure... » (...)

« Il faut faire très attention à ce qu'on fait. Parce que c'est quand on croit qu'on est le moins libre qu'on l'est quelquefois le plus! Et pas du tout quand on se sent des ailes de géant qui t'empêchent de marcher. »

Quand il a peint à Vallauris *la Petite Fille qui saute à la corde*, il a d'abord peint une toile. Le sol y est marqué par un petit trait.

Ou plutôt de l'ombre.

Il a reçu, fondue en bronze, il n'y a pas très longtemps, la sculpture qu'il a faite du même tableau et qui est à Notre-Dame-de-Vie.

Au temps où il en assemblait les éléments, c'était la sculpture qui devenait la recherche majeure de la réalité. Le problème de la petite fille en l'air n'exaspérait pas la peinture.

Mais le sculpteur devait trouver le moyen de s'en tirer. Comment? Un jour Picasso apparaît tout heureux. Il vient de travailler au problème dans l'espace de *la Petite Fille qui saute à la corde*. « J'ai trouvé sur quoi, dit-il, repose la petite fille quand elle est en l'air. Sur la corde naturellement! Comment n'y avais-je pas pensé?... Il suffit de regarder la réalité... »

Jamais sans son contraire

La phrase de Picasso le plus souvent citée est celle-ci : « Je ne cherche pas. Je trouve. »

Merveilleuse d'audace et de certitude, elle ne s'explique, si vraiment il l'a prononcée, que par la démonstration constante de son contraire.

« On n'a jamais fini de chercher parce qu'on ne trouve jamais. »

En réalité il trouve à tous les coups, il cherche à tous les coups. Il a à peine fini une toile qu'il la regarde en y cherchant les secrets qu'il vient lui-même d'y mettre. Et il en recommence une autre, qui le mène où il ne veut pas quand il la mène où elle ne veut pas. Ainsi de suite...

Nommer les choses

Nous regardions quelques minces traits rapprochés dans un grand blanc, et qui à eux seuls suffisent à faire les deux bras, les deux mains avec leurs dix doigts, la force de leur enlacement, le poids des mains sur les genoux, leur forme, tout. Picasso dit : « Ce qu'il faut, c'est nommer les choses. Il faut les appeler par leur nom. Je nomme l'œil. Je nomme le pied. Je nomme la tête de mon chien sur les genoux. Je nomme les genoux... nommer. C'est tout. Ça suffit. » Il ajoute : « Je ne sais pas si je me fais bien comprendre quand je dis nommer. Donner un nom. Rappelez-vous le poème d'Eluard. *Liberté*. "Pour te nommer, Liberté.

...Je suis né pour te connaître
Pour te nommer Liberté..."

Il l'a nommée. C'est ce qu'il faut faire. »

Les chaînes de la liberté

« La liberté, dit Picasso, il faut faire très attention avec ça. En peinture comme dans le reste. Quoi que tu fasses tu te retrouves avec des chaînes. La liberté de ne pas faire une chose, ça exige qu'on en fasse une autre, impérativement. Et alors voilà les chaînes. Ça ment, avec les mêmes mots, elle devient tout à fait autre chose et quelquefois le contraire. »

« Jacqueline dit, ajoute-t-il, que quand on parle, c'est comme si on semait des graines. Quelquefois les graines germent et fleurissent. Quelquefois elles disparaissent. »

Finir un tableau

Les peintres véritables ne peuvent jamais se reposer sur leurs lauriers. Ils ne peuvent que vivre la vie éternelle et terrible des peintres, en faisant la guerre de peinture jusqu'au bout. Un peintre n'est jamais satisfait.

« Mais le pire de tout, dit Picasso, c'est qu'il n'a jamais terminé. Il n'y a jamais un moment où tu peux dire : j'ai bien travaillé et demain c'est dimanche. Dès que tu t'arrêtes, c'est que tu recommences. Tu peux laisser une toile de côté en disant que tu n'y touches plus. Mais tu ne peux jamais mettre le mot FIN. »

La vérité ?

« Quelle vérité ? dit Picasso. La vérité ne peut pas exister. Si je cherche la vérité dans ma toile, je peux faire cent toiles avec cette vérité. Alors laquelle est la vraie ? Et qui est la vérité ? Celle qui me sert de modèle, ou celle que je peins ? Non, c'est comme dans tout le reste. La vérité n'existe pas. »

« Je me rappelle, dit Paulo Picasso, que quand j'étais tout petit, je t'entendais tout le temps dire : "La vérité est un mensonge...". »

Hélène Parmelin, *Picasso dit...*

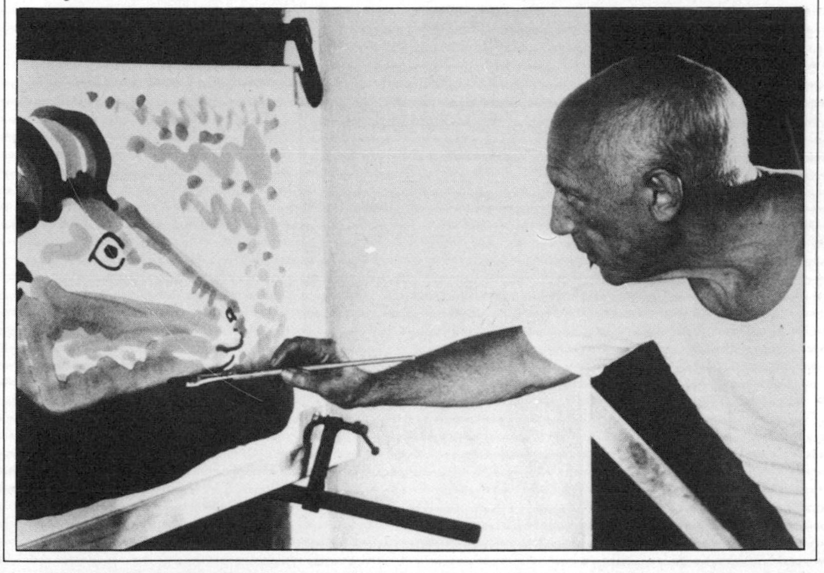

Picasso et les poètes

Picasso, plus que tout autre peintre, fut l'ami privilégié des poètes. Depuis son arrivée à Paris jusqu'à la fin de sa vie, il entretiendra des amitiés riches et durables avec les plus grands écrivains du XXe siècle : Max Jacob, Apollinaire, Cocteau, Éluard, Breton, Aragon, Reverdy, Char...

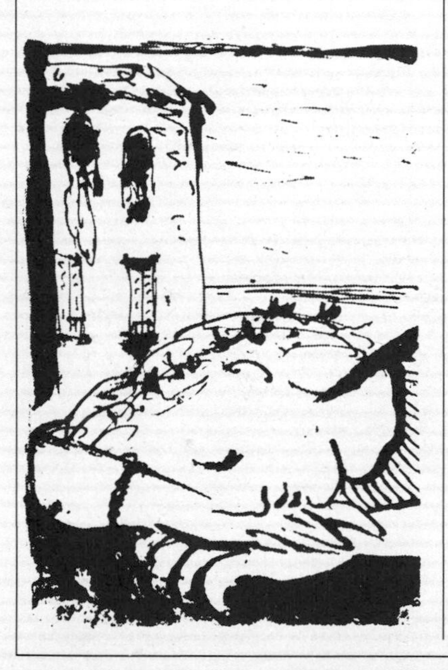

Paul Éluard (1895-1952). Il fut l'ami de la période surréaliste, de la résistance et de l'engagement politique. Entre 1936 et 1939, Picasso, très lié à Éluard et à sa femme Nush, illustra nombre de livres et de poèmes de l'écrivain.

Parmi les hommes qui ont le mieux prouvé leur vie et dont on ne pourra dire qu'ils ont passé sur la terre sans aussitôt penser qu'ils y restent, Pablo Picasso se situe parmi les plus grands. Après s'être soumis le monde, il a eu le courage de le retourner contre lui-même, sûr qu'il était, non de vaincre, mais de se trouver à sa taille. « Quand je n'ai pas de bleu, je mets du rouge, » a-t-il dit. Au lieu d'une seule ligne droite ou d'une courbe, il a brisé mille lignes qui retrouvaient en lui leur unité, leur vérité. Il a au mépris des notions admises du réel objectif, rétabli le contact entre l'objet et celui qui le voit et qui, par conséquent, le pense, il nous a redonné, de la façon la plus audacieuse, la plus sublime, les preuves inséparables de l'existence de l'homme et du monde.

Paul Éluard,
A Pablo Picasso

A partir de Picasso, les murs s'écroulent. Le peintre ne renonce pas plus à sa réalité qu'à la réalité du monde. Il est devant un poème comme le poète devant un tableau. Il rêve, il imagine, il crée. Et soudain, voici que l'objet virtuel naît de l'objet réel, qu'il devient réel à son tour, voici qu'ils font image, du réel au réel, comme un mot avec tous les autres. On ne se trompe plus d'objet, puisque tout s'accorde, se lie, se fait valoir, se remplace. (...)

Paul Éluard,
A Pablo Picasso

Grand air

La rive les mains tremblantes
Descendait sous la pluie
Un escalier de brumes
Tu sortais toute nue
Faux marbre palpitant
Teint de bon matin
Trésor gardé par des bêtes immenses
Qui gardaient elles du soleil sous leurs ailes
Pour toi
Des bêtes que nous connaissions sans les voir

Par delà les murs de nos nuits
Par delà l'horizon de nos baisers
Le rire contagieux des hyènes
Pouvait bien ronger les vieux os
Des êtres qui vivent un par un

Nous jouions au soleil à la pluie à la mer
A n'avoir qu'un regard qu'un ciel et qu'une mer
Les nôtres

Paul Eluard

Illustration d'un poème des *Yeux fertiles* d'Éluard par Picasso.

A Pablo Picasso

I

Les uns ont inventé l'ennui d'autres le rire
Certains taillent à la vie un manteau d'orage
Ils assomment les papillons font tourner les oiseaux
    en eau
Et s'en vont mourir dans le noir

Toi tu as ouvert des yeux qui vont leur voie
Parmi les choses naturelles à tous les âges
Tu as fait la moisson des choses naturelles
Et tu sèmes pour tous les temps

On te prêchait l'âme et le corps
Tu as remis la tête sur le corps
Tu as percé la langue de l'homme rassasié
Tu as brûlé le pain bénit de la beauté
Un seul cœur anima l'idole et les esclaves
Et parmi tes victimes tu continues à travailler
Innocemment

C'en est fini des joies greffées sur le chagrin. (...)

III

Fini d'errer tout est possible
Puisque la table est droite comme un chêne
Couleur de bure couleur d'espoir
Puisque dans notre champ petit comme un diamant
Tient le reflet de toutes les étoiles

Tout est possible on est ami avec l'homme et la bête
A la façon de l'arc-en-ciel
Tour à tour brûlante et glaciale
Notre volonté est de nacre
Elle change de bourgeons et de fleurs non selon
    l'heure mais selon
La main et l'œil que nous nous ignorions

Nous toucherons tout ce que nous voyons
Aussi bien le ciel que la femme
Nous joignons nos mains à nos yeux
La fête est nouvelle.

IV[a]

L'oreille du taureau à la fenêtre
De la maison sauvage où le soleil blessé
Un soleil d'intérieur se terre

Tentures du réveil les parois de la chambre
Ont vaincu le sommeil.

V[a]

Est-il argile plus aride que tous ces journaux déchirés
Avec lesquels tu te lanças à la conquête de l'aurore
De l'aurore d'un humble objet
Tu dessines avec amour ce qui attendait d'exister
Tu dessines dans le vide
Comme on ne dessine pas
Généreusement tu découpas la forme d'un poulet
Tes mains jouèrent avec ton paquet de tabac
Avec un verre avec un litre qui gagnèrent
Le monde enfant sortit d'un songe
Bon vent pour la guitare et pour l'oiseau
Une seule passion pour le lit et la barque
Pour la verdure neuve et pour le vin nouveau

Les jambes des baigneuses dénudent vague et plage
Matin tes volets bleus se ferment sur la nuit
Dans les sillons la caille a l'odeur de noisette[b]
Des vieux mois d'août et des jeudis
Récoltes bariolées paysannes sonores
Écailles des marais sécheresse des nids

Visage aux hirondelles amères au couchant rauque

Le matin allume un fruit vert
Dore les blés les joues les cœurs
Tu tiens la flamme entre tes doigts
Et tu peins comme un incendie
Enfin la flamme unit enfin la flamme sauve.

Paul Éluard,
Donner à voir, 1939

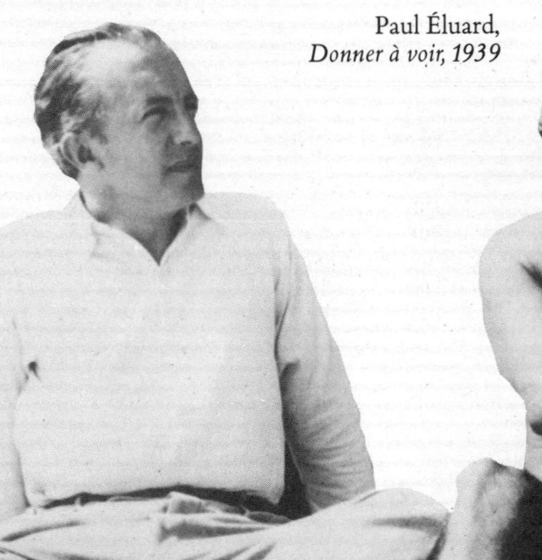

Jacques Prévert (1900-1977). Picasso et Prévert se rencontrèrent dans les années 50. Leur humour, leur fantaisie ne pouvaient que les rapprocher. Prévert dédia des poèmes à Picasso et celui-ci lui offrit de nombreux collages.

Promenade de Picasso

Sur une assiette bien ronde en porcelaine réelle
une pomme pose
Face à face avec elle
un peintre de la réalité
essaie vainement de peindre
la pomme telle qu'elle est
mais
elle ne se laisse pas faire
la pomme
elle a son mot à dire
et plusieurs tours dans son sac de pomme
la pomme
et la voilà qui tourne
dans son assiette réelle
sournoisement sur elle-même
doucement sans bouger

et comme un duc de Guise qui se déguise en bec de gaz
parce qu'on veut malgré lui lui tirer le portrait
la pomme se déguise en beau fruit déguisé
et c'est alors
que le peintre de la réalité
commence à réaliser
que toutes les apparences de la pomme sont contre lui
et
comme le malheureux indigent
comme le pauvre nécessiteux qui se trouve soudain à la merci
de n'importe quelle association bienfaisante et charitable et
redoutable de bienfaisance de charité et de redoutabilité
le malheureux peintre de la réalité
se trouve soudain alors être la triste proie
d'une innombrable foule d'associations d'idées
Et la pomme en tournant évoque le pommier
le Paradis terrestre et Ève et puis Adam
l'arrosoir l'espalier Parmentier l'escalier
le Canada les Hespérides la Normandie la Reinette et l'Api
le serpent du Jeu de Paume le serment du Jus de Pomme
et le péché originel
et les origines de l'art
et la Suisse avec Guillaume Tell
et même Isaac Newton
plusieurs fois primé à l'Exposition de la Gravitation
Universelle
et le peintre étourdi perd de vue son modèle
et s'endort
C'est alors que Picasso
qui passait par là comme il passe partout
chaque jour comme chez lui
voit la pomme et l'assiette et le peintre endormi
Quelle idée de peindre une pomme
dit Picasso
et Picasso mange la pomme
et la pomme lui dit Merci
et Picasso casse l'assiette
et s'en va en souriant
et le peintre arraché à ses songes
comme une dent
se retrouve tout seul devant sa toile inachevée
avec au beau milieu de sa vaisselle brisée
les terrifiants pépins de la réalité.

Jacques Prévert,
Paroles

Picasso poète

Picasso aborde à partir de 1935 un nouveau domaine, celui de l'écriture. Il abandonne pendant quelques mois ses pinceaux et se met à écrire des poèmes, soit en espagnol, soit en français, enluminés de ratures, de taches, parfois de dessins et de couleurs. Puis il écrit également deux pièces de théâtre le Désir attrapé par la queue, *en 1941, et* les Quatre petites filles, *1952.*

Le Désir attrapé par la queue

Acte V, scène 2.

La scène se passe dans l'égout chambre à coucher cuisine et salle de bains de la villa des Angoisses.

L'ANGOISSE MAIGRE

La brûlure de mes passions malsaines attise la plaie des engelures enamourées du prisme établi à demeure sur les angles mordorés de l'arc-en-ciel et l'évapore en confettis. Je ne suis que l'âme congelée collée aux vitres du feu. Je frappe mon portrait contre mon front et crie la marchandise de ma douleur aux fenêtres fermées à toute miséricorde. Ma chemise mise en lambeaux par les éventails rigides de mes larmes mord de l'acide nitrique de ses coups les algues de mes bras traînant la robe de mes pieds et mes cris de porte en porte. Le petit sac de pralines que je lui ai acheté hier à Gros Pied pour 0,40 F me brûle les mains. Fistule purulente dans mon cœur, l'amour joue aux billes entre les plumes de ses ailes. La vieille machine à coudre qui fait tourner les chevaux et les lions du carrousel échevelé de mes désirs hache ma chair à saucisse et l'offre vivante aux mains glacées des astres mort-né frappant aux carreaux de ma fenêtre leur faim de loup et leur soif océane. L'énorme tas de bûches attendent résignées leur sort. Faisons la soupe. *(Lisant dans un livre de cuisine :)* Demi-quart de melon d'Espagne, de l'huile de palme, du citron, des fèves, sel, vinaigre, mie de pain ; mettre à cuire à feu doux ; retirer délicatement de temps en temps une âme en peine du purgatoire ; refroidir ; reproduire à mille exemplaires sur japon impérial et laisser prendre la glace à temps pour pouvoir la donner aux poulpes. *(Criant par le trou d'égout de leur lit :)* Sœur ! Sœur !

Lecture entre amis du *Désir attrapé par la queue,* en 1941. Picasso est au centre. A sa droite, Zanie de Campan, Louise Leiris, Pierre Reverdy, Cécile Éluard, la fille de Gala, le docteur Lacan ; à sa gauche, Valentine Hugo et Simone de Beauvoir. Jean-Paul Sartre, Michel Leiris et Jean Aubier sont assis. Albert Camus est accroupi.

Viens ! Viens m'aider à mettre la table et à plier le linge sale taché de sang et d'excréments ! Dépêche-toi, ma sœur, la soupe est déjà froide et se fend au fond du miroir de l'armoire à glace. J'ai brodé toute l'entière après-midi de cette soupe mille histoires qu'elle va te raconter en secret à l'oreille, si tu veux garder pour la fin l'architecture du bouquet de violettes du squelette.

L'ANGOISSE GRASSE

sortant toute dépeignée et noire de saleté des draps du lit plein de pommes frites, tenant une vieille poêle à la main.

J'arrive de bien loin et éblouie par la longue patience que j'ai dû suivre derrière le corbillard des sauts de carpe que le gros teinturier si minutieux dans ses comptes voulait mettre à mes pieds.

L'ANGOISSE MAIGRE

Le soleil.

L'ANGOISSE GRASSE

L'amour.

L'ANGOISSE MAIGRE

Comme tu es belle !

L'ANGOISSE GRASSE

Quand je suis sortie ce matin de l'égout de notre maison, tout de suite, à deux pas de la grille, j'ai enlevé ma paire de gros souliers ferrés de mes ailes et, sautant dans la mare glacée de mes chagrins, je me suis laissé entraîner par les vagues loin des rives. Couchée sur le dos, je me suis étendue sur l'ordure de cette eau et j'ai tenu longtemps ma bouche bien ouverte pour recevoir mes larmes. Mes yeux fermés en recevaient aussi la couronne de cette longue pluie de fleurs.

L'ANGOISSE MAIGRE

Le dîner est servi.

L'ANGOISSE GRASSE

Vive la joie, l'amour et le printemps !

L'ANGOISSE MAIGRE

Allons, découpe la dinde et sers-toi convenablement de la farce. Le gros bouquet d'affres et d'épouvantes nous fait déjà des signes d'adieu. Et les coquilles des moules claquent des dents, mortes de peur sous les oreilles glacées de l'ennui. *(Elle prend un morceau de pain qu'elle trempe dans la sauce.)* Ça manque de sel et de poivre, cette bouillie. Ma tante avait un serin qui chantait toute la nuit de vieilles chansons à boire.

L'ANGOISSE GRASSE

Je reprends encore de l'esturgeon. L'âcre saveur érotique de ces mets tient fortement en haleine mes goûts dépravés pour les plats épicés et crus.

L'ANGOISSE MAIGRE

La robe de dentelles que je portais au bal blanc donné le jour funeste de ma fête, je viens de la trouver toute mitée et pleine de taches, en haut de l'armoire des cabinets, se tordant de douleur enflammée sous la poussière du tic-tac de l'horloge. C'est certainement notre femme de ménage qui l'a mise l'autre jour pour aller voir son homme.

L'ANGOISSE GRASSE

Regarde : la porte s'avance en courant. Il y a quelqu'un dedans qui rentre. Le facteur ? Non, c'est la Tarte. *(S'adressant à la Tarte :)* Rentre. Viens goûter avec nous. Comme tu dois être contente. Donne-nous des nouvelles de Gros Pied. L'Oignon est arrivé ce matin pâle et défait, trempé d'urine et blessé, traversé au front par une pique. Il pleurait. Nous l'avons soigné et consolé comme nous avons pu. Mais il était en morceaux. Il saignait de partout et criait comme un fou des paroles incohérentes.

L'ANGOISSE MAIGRE

Tu sais, la chatte a eu ses petits cette nuit.

L'ANGOISSE GRASSE

Nous les avons noyés dans une pierre dure, exactement dans une belle améthyste. Il faisait beau ce matin. Un peu froid, mais chaud quand même.

LA TARTE

Vous savez, j'ai rencontré l'amour. Il a des genoux écorchés et mendie de porte en porte. Il n'a plus le sou et cherche une place de contrôleur d'autobus en banlieue. C'est triste, mais va l'aider... il se retourne et vous pique. Gros Pied a voulu m'avoir et c'est lui qui s'est pris au piège. Voyez : je me suis mise trop longtemps au soleil, je suis couverte de cloques. L'amour. L'amour. Voici une pièce de cent sous, changez-la-moi en dollars et gardez pour vous les miettes de pain de la menue monnaie. Au revoir à jamais ! Bonne fête, mes amis ! Bonsoir ! Bien le bonjour ! Bonne année ! Et adieu !

Elle relève sa jupe, montre son derrière et saute en riant d'un bond par la fenêtre à travers les carreaux, en cassant toutes les vitres.

L'ANGOISSE GRASSE

Belle fille, intelligente, mais bizarre. Tout ça finira mal.

L'ANGOISSE MAIGRE

Appelons tous ces gens. *(Elle prend une trompette et sonne le rassemblement. Tous les personnages de cette pièce accourent.)*

Toi, l'Oignon, avance-toi. Tu as droit à six chaises du salon. Les voici.

L'OIGNON

Merci, Madame !

L'ANGOISSE GRASSE

Gros Pied, pour toi, si tu sais répondre à mes questions, je te donne la lampe à suspension de la salle à manger. Dis-moi combien ça fait quatre et quatre ?

LE GROS PIED

Beaucoup trop et pas grand-chose.

L'ANGOISSE MAIGRE

Très bien !

L'ANGOISSE GRASSE

Très bien !

L'ANGOISSE MAIGRE

débouchant un flacon et le lui mettant sous le nez.

Bout Rond, qu'est-ce que ça sent ?

Bout Rond rit.

L'ANGOISSE MAIGRE

Très bien ! Tu as compris. Voici cette boîte pleine de plumes à écrire. Elles sont pour toi. Et bonne chance !

L'ANGOISSE GRASSE

La Tarte, présente tes comptes.

LA TARTE

J'ai 600 litres de lait dans mes nichons de truie. Du jambon. Du gras-double. Du saucisson. Des tripes. Du boudin. Et mes cheveux couverts de chipolatas. J'ai des gencives mauves, du sucre dans les urines et du blanc d'œuf plein les mains nouées de goutte. Des cavernes osseuses. Du fiel. Des chancres. Des fistules. Des écrouelles. Et des lèvres tordues de miel et de guimauve. Habillée avec décence, propre, je porte avec élégance les toilettes ridicules qu'on me donne. Je suis mère et parfaite fille de joie et je sais danser la rumba.

L'ANGOISSE MAIGRE

Tu auras un bidon de pétrole et une canne à pêche. Mais avant, tu dois danser avec nous tous. Commence avec Gros Pied.

La musique joue et tous dansent en changeant à chaque moment de cavalier et cavalière.

LE GROS PIED

Enveloppons les draps usés dans la poudre de riz des anges et retournons les matelas dans les ronces. Allumons toutes les lanternes. Lançons de toutes nos forces les vols de colombes contre les balles et fermons à double tour les maisons démolies par les bombes. (...) Toi ! Toi ! Toi !

Sur la grosse boule d'or apparaissent les lettres du mot : Personne.

Rideau.

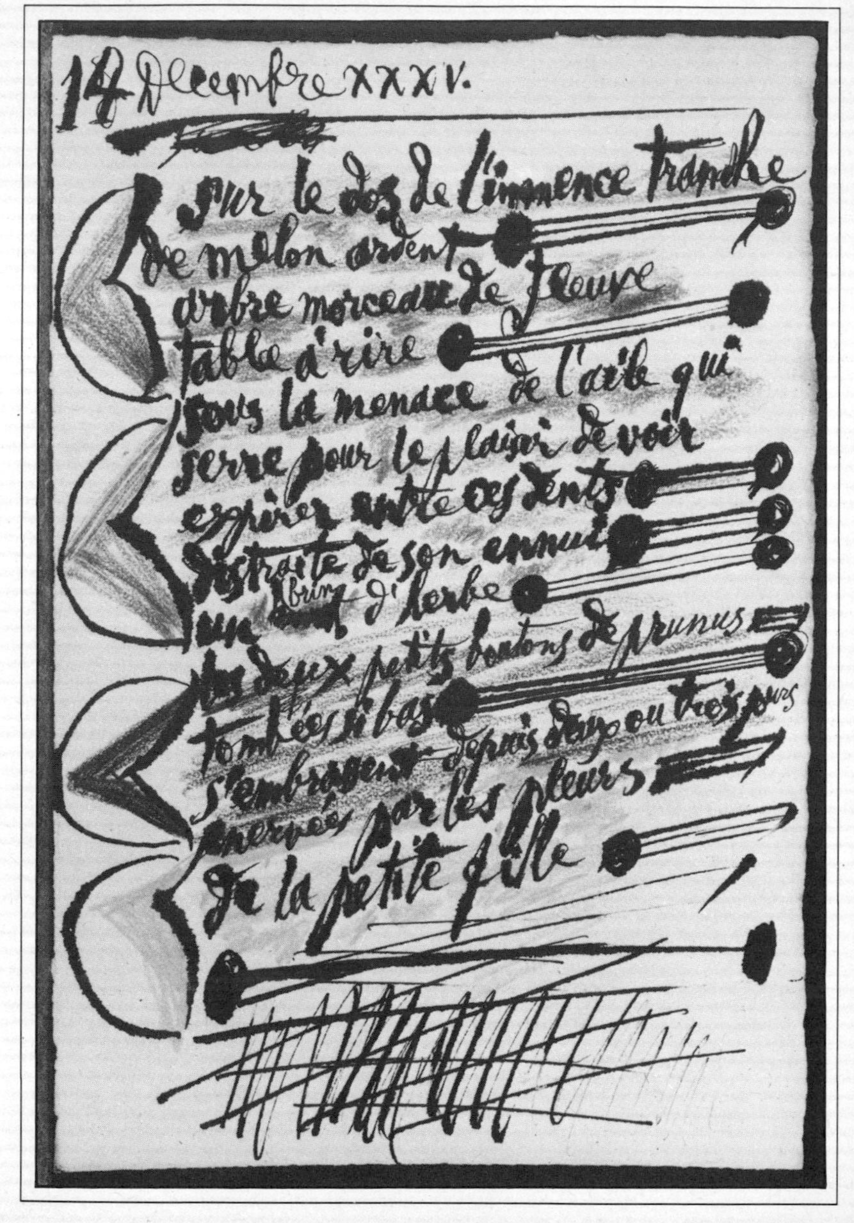

14 Decembre XXXV.

sur le dos de l'immence tranche
de melon ardent
arbre morceau de fleuve
table à rire
sous la menace de l'aile qui
serre pour le plaisir de voir
expirer entre ses dents
distraite de son ennui
un brin d'herbe
des deux petits boutons de prunus
tombés si bas
s'embrassent depuis deux ou trois jours
énervés par les pleurs
de la petite fille

les bras sous le plumetis des manches du corsage
refait le noeud de vipères de l'arbre des veilleuses endormies
sur les feux doux coupant l'odeur du silence
pendu aux lames de la persienne
sorte de tambour battant le rappel au point matematique de son amour
dans l'oeil étonné du toro ailes deployés
nageant nu dans l'odeur du bleu serré au cou du soleil en poussière
caché sous le lit grelotant
embourbé dans l'ombre du coup de fouet balbucié par le vent épongé
bloti dans la boulette de souvenirs jetée dans la cendre
à l'instant où la rose équilibre sa chance

15 juin XXXVI.

rit l'ail de sa couleur de étoile feuille morte

rit de son air moqueur à la rose le poignard
que sa couleur enfonce l'ail de l'étoile en feuille morte

rit de son air malin au poignard des roses l'odeur
de l'étoile tombant en feuille morte

l'ail de l'aile

Picasso illustrateur

Son sens aigu du trait, de la couleur, de la mise en pages, son amour des lettres, du texte imprimé, et de la calligraphie incitent très souvent Picasso à mettre ses talents à l'épreuve de l'illustration. Couvertures de revues, affiches, gravures, il est peu de domaines de l'art graphique dans lesquels Picasso ne se soit engagé. Ami des poètes et amoureux des beaux livres, il fut également enlumineur. Dans certains cas, ses gravures servent d'illustrations pour des textes anciens, comme les Métamorphoses *d'Ovide ou* l'Histoire naturelle *de Buffon ; dans d'autres, il grave lui-même le poème qu'il orne de signes graphiques ponctuant le texte et donnant rythme et force plastique à l'ouvrage.*

VERVE

BALLETS RUSSES
DE DIAGHILEW
1909 - 1929
MARS-AVRIL 1939
MUSÉE DES ARTS DÉCORATIFS
Palais du Louvre _ Pavillòn de Marsan, 107, rue de Rivoli
ENTRÉE 6 FRANCS

PICASSO
Un demi-siècle de Livres Illustrés
du 21 Décembre 1956 au 31 Janvier 1957
GALERIE H. MATARASSO
36 Boulevard Dubouchage . NICE

LE PIGEON

Picasso et le théâtre

Le théâtre est pour un peintre un moyen d'expression riche et original : traduire ses tableaux dans l'espace de la scène, mettre son sens des couleurs et son invention formelle au service de la création d'un costume, mettre enfin sa sensibilité en accord avec le texte et la musique. Fervent admirateur du monde du cirque, des acrobates et des saltimbanques, Picasso est plongé très tôt dans l'univers du spectacle. C'est son ami Jean Cocteau qui l'incitera après la guerre à dessiner des décors et des costumes pour la troupe des ballets russes de Serge de Diaghilev. Entre 1917 et 1924, il participe avec les grands musiciens de l'époque à la création de plusieurs ballets : Parade, le Tricorne, Mercure *et* Pulcinella.

Mon cher ami,

Vous me demandez quelques détails sur *Parade.* Les voici trop en hâte. Excusez le style et le désordre.

Chaque matin m'arrivent de nouvelles injures, quelques-unes de fort loin car des critiques s'acharnent contre nous sans avoir vu ni entendu l'œuvre ; et, comme on ne comble pas des abîmes, comme il faudrait reprendre à partir d'Adam et Ève, j'ai trouvé plus digne de ne jamais répondre. Je consulte donc du même œil surpris l'article où on nous insulte, l'article où on nous méprise, l'article où l'indulgence le dispute au sourire, l'article où on nous félicite tout de travers.

En face de cette pile de myopies, d'incultures, d'insensibilités, je pense aux mois admirables où nous avons, Satie, Picasso et moi, aimé, cherché, ébauché, combiné peu à peu cette petite chose si pleine et dont la pudeur consiste justement à n'être pas agressive.

L'idée m'en est venue pendant une permission d'avril 1915 (j'étais alors aux armées) en écoutant Satie jouer à quatre mains avec Viñes ses *Morceaux en forme de poire.* Le titre déroute. Une attitude d'humoriste, qui date de Montmartre, empêche le public distrait d'entendre comme il faut la musique du bon maître d'Arcueil.

Une sorte de télépathie nous inspira ensemble un désir de collaboration. Une semaine plus tard je rejoignais le front, laissant à Satie une liasse de notes, d'ébauches, qui devaient lui fournir le thème du Chinois, de la petite Américaine et de l'Acrobate (l'acrobate était alors seul).
Ces indications n'avaient rien d'humoristique. Elles insistaient au contraire sur le prolongement des

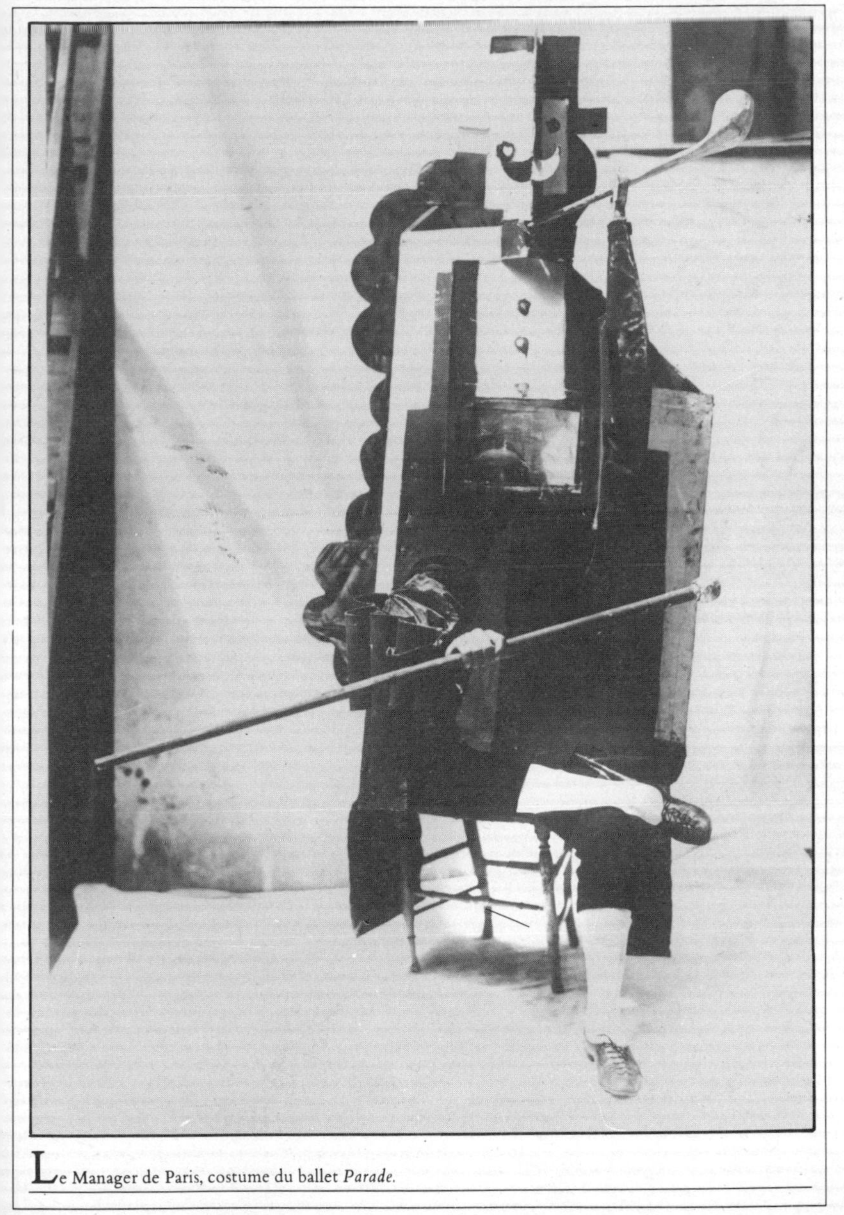

Le Manager de Paris, costume du ballet *Parade*.

Picasso et les ouvriers sur le rideau de scène de *Parade*.

personnages, sur le verso de notre baraque foraine. Le Chinois y était capable de torturer des missionnaires, la petite fille de sombrer sur le *Titanic,* l'acrobate d'être en confidence avec les anges.

Peu à peu vint au monde une partition où Satie semble avoir découvert une dimension inconnue grâce à laquelle on écoute simultanément la parade et le spectacle intérieur.

Dans la première version les Managers n'existaient pas. Après chaque numéro de Music-Hall, une voix anonyme, sortant d'un trou amplificateur (imitation théâtrale du gramophone forain, masque antique à la mode moderne) chantait une phrase type, résumant les perspectives du personnage, ouvrant une brèche sur le rêve.

Lorsque Picasso nous montra ses esquisses, nous comprîmes l'intérêt d'opposer à trois chromos, des personnages inhumains, surhumains, d'une transposition plus grave, qui deviendraient en somme la fausse réalité scénique jusqu'à réduire les danseurs réels à des mesures de fantoches.

J'imaginai donc les Managers féroces, incultes, vulgaires, tapageurs, nuisant à ce qu'ils louent et déchaînant (ce qui eut lieu) la haine, le rire, les haussements d'épaules de la foule, par l'étrangeté de leur aspect et de leurs mœurs.

A cette phase de *Parade* trois acteurs, assis à l'orchestre, criaient, dans des porte-voix, des réclames grosses comme l'affiche KUB, pendant les poses d'orchestre.

Dans la suite, à Rome, où nous allâmes avec Picasso rejoindre Léonide Massine pour marier décor, costumes et chorégraphie, je constatai qu'une seule voix, même amplifiée, au service d'un des Managers de Picasso, choquait, constituait une faute d'équilibre insupportable. Il eût fallu trois timbres par Manager, ce qui nous éloignait singulièrement de notre principe de simplicité.

C'est alors que nous substituâmes aux voix le rythme des pieds dans le silence.

Rien ne me contenta mieux que ce silence et que ces trépignements. Nos bonshommes ressemblèrent vite aux insectes dont le film dénonce les habitudes féroces. Leur danse était un accident organisé, des faux pas qui se prolongent et s'alternent avec une discipline de fugue. Les gênes pour se mouvoir sous ces charpentes, loin d'appauvrir le chorégraphe, l'obligèrent à rompre avec d'anciennes formules, à chercher son inspiration, non dans ce qui bouge mais dans ce autour de quoi on bouge, dans ce qui remue selon les rythmes de notre marche.

Aux dernières répétitions, le cheval tonnant et langoureux, lorsque les cartonniers livrèrent sa carcasse mal faite, se métamorphosa en cheval du fiacre de Fantômas. Notre fou rire et celui des machinistes décidèrent Picasso à lui laisser cette silhouette fortuite. Nous ne pouvions pas supposer que le public prendrait si mal une des seules concessions qui lui fussent faites.

Restent les trois personnages de la parade, ou plus exactement les quatre, puisque je transformai l'acrobate en un couple d'acrobates permettant à Massine de tendre la parodie d'un pas de deux italien derrière nos recherches d'ordre réaliste.

Contrairement à ce que le public imagine, ces personnages relèvent plus de l'école cubiste que nos Managers. Les Managers sont des hommes-décor, des portraits de Picasso qui se meuvent, et leur structure même impose un certain mode chorégraphique. Pour les quatre personnages, il s'agissait de prendre une suite de gestes réels et de les métamorphoser en danse sans qu'ils perdissent leur force réaliste, comme le peintre moderne s'inspire d'objets réels pour les métamorphoser en peinture pure sans pourtant perdre de vue la puissance de leurs volumes, de leurs matières, de leurs couleurs et leurs ombres. (...)

Jean Cocteau,
le Coq et l'Arlequin

Picasso et la céramique

Art antique et méditerranéen, la céramique permet à Picasso de combiner ses dons de sculpteur et de peintre. En 1946, la rencontre des époux Ramié, qui dirigent une fabrique de céramiques à Vallauris, incite Picasso à explorer toutes les ressources de cette nouvelle technique. Une fois encore, il innove, bouleverse les traditions. Ses audaces stupéfient les spécialistes : « Un apprenti qui travaillerait comme Picasso ne trouverait pas d'emploi ».

Picasso vu par ses professeurs de céramique

Aussitôt, passionnantes découvertes dans un champ infiniment vaste où quantité de préceptes furent déjà posés, puis abandonnés, puis oubliés !... Depuis des siècles que tant de chercheurs fouillent ce mystère avec avidité et patience, fallait-il penser que tout soit dit, toutes les formes d'expression, décrites, toutes les possibilités de création, mises à jour ?... En tout cas, la multiplicité des anciens procédés fut, en vérité, jugée par lui, insuffisante : le peintre, condamné à l'exiguïté relative de la toile et de l'huile, se trouva, sans doute, subitement libéré devant l'espace et la palette toujours mouvante et, de ce fait, illimitée offerte désormais à sa fantaisie, comme une nouvelle dimension tout à coup révélée. (...)

Picasso peut-il faire ce qu'il fait uniquement parce qu'il est né Picasso ? Sans doute, mais encore parce que, sans cesse en éveil et se découvrant sans cesse, à chaque instant et depuis des années, un Picasso nouveau surgit du Picasso de tout à l'heure. Et cette évolution vertigineuse explique toute la diversité des procédés, toutes les apparentes divergences de manières, toute l'universalité des moyens, toutes les facultés d'expression qu'on lui connaît.

La céramique n'en est qu'une de plus, pour lui, dans laquelle il apporte, comme dans tout ce qu'il entreprend, une révélation et une énigme à la fois. Beaucoup d'amateurs seront, peut-être, saisis de ce qu'il leur sera offert mais se demanderont aussi quelle matière subtile, quelle palette insoupçonnée, quelle pâte inconnue leur sont présentées. Et ce ne sera pas le moindre mérite de Picasso d'avoir su mettre les

Picasso dans l'atelier de céramique à Vallauris dans les années 50.

moyens d'un autre âge à la mesure de son talent et de son imagination et de poser, à son tour aux autres, la question qu'il se posa et qu'en y répondant, il dépassa.

Car il la dépassa. Avec sa promptitude révolutionnaire qui le pousse non pas tant à fuir les clichés usés et à rejeter, par tempérament, les idées toutes faites qu'à rechercher, sans contrainte, l'expansion naturelle de son caractère l'attirant vers la découverte incessante de lui-même et de l'Univers. D'où jaillit ce dynamisme déconcertant parfois, cette puissance créatrice, cette volubilité fusant comme feu d'artifice et toutes ces trouvailles qui surprennent puis fascinent parce que, figurant l'aboutissement d'un état d'âme dont le cheminement nous a échappé, elles sont autant de propositions de l'esprit ou de confidences.

La céramique de Picasso offrant toutes ces qualités d'imprévu et de mystère constitue un inoubliable moment de méditation et d'émotion. Et ainsi, nous aura été donné de sa part et avec une séduction bien espagnole un motif nouveau d'enseignement, d'enchantement et d'admiration.

Et puisque d'un hasard immérité nous est échu le périlleux honneur d'enseigner notre métier à ce magistral élève et de vivre, en travaillant côte à côte, de longs mois avec lui, qu'il nous soit permis de rendre hommage à sa plus émouvante vertu : ce que Picasso a pu réaliser dans ce domaine nouveau pour lui, il le doit, certes, à son prodigieux génie d'invention, à son besoin permanent de création, à sa faculté immédiate d'adaptation mais aussi à la modestie avec laquelle il affronte toute chose : la modestie du laboureur qui aborde un champ en friche et l'attaque avec la ferveur que lui donne l'espoir certain des moissons fécondes.

Madoura,
Vallauris, avril 1948

Picasso et la tauromachie

Espagnol dans l'âme et dans le sang, Picasso est, comme son compatriote Goya, le peintre par excellence de la corrida. Enfant, il va avec son père aux arènes de Malaga et dessine ses premières corridas. De chaque voyage en Espagne, il rapportera par la suite des tableaux de taureau, de cheval blessé, de mort du torero...

Picasso peintre, Dominguin : torero

Pablo s'intéresse à tout ce que je fais. Il est impatient de mes succès possibles. Mais il serait heureux le jour où il apprendrait ma retraite... ou ma mort dans l'arène... Pablo pleurerait : « Il a accompli son destin. » Nous les toreros, qui soumettons ceux que nous aimons à des angoisses qui, pour être répétées, n'en sont pas moins terribles, nous reconnaissons instinctivement ceux qui s'approchent de l'homme revêtu de lumière et ceux qui s'approchent de l'homme lui-même. Pablo, dans le fond, est un torero ; lui aussi, il sait reconnaître les papillons qu'attire l'éclat de sa renommée.
Il reconnaît au premier hommage – on lui en a offert des centaines – celui qui vient à lui pour partager les miettes de son immense célébrité et celui qui le flatte plus pour son nom que pour son œuvre, car nombreux sont ceux qui louent cette œuvre dont ils ignorent tout. Peut-être est-ce ce refus commun d'une popularité éclatante qui a scellé notre amitié.

J'ai sans doute été le seul torero, combattant en France, à refuser dans une course le « brindis » d'un taureau à Picasso. Aujourd'hui, je suis aussi l'homme qui passe quelques heures, trop peu nombreuses à mon gré, à converser avec lui, à jouir de son amitié, tout en me refusant à poser pour lui. Il me semble que si je « combattais » pour lui et s'il peignait pour moi, nous perdrions l'intimité, nous nous laisserions entraîner sur le plan professionnel. Curieuse est la pudeur que j'ai remarquée chez Picasso, lorsqu'il m'a montré quelques-unes de ses œuvres les plus récentes. Quant à moi, chaque fois qu'il est venu me voir

après une corrida, dans ma chambre d'hôtel, j'ai ressenti plus que de la pudeur : de la honte. Respect, voilà le nom que je donne à cette « figure ».

Nos familles se réunissent fréquemment. Nous passons de longues journées à parler de bien des choses. Je le regarde travailler, je l'écoute lire ses écrits qui me semblent aussi importants que sa littérature plastique. Parce que en somme la peinture est la calligraphie suprême des sentiments.

J'ai trouvé en Pablo un être tout différent de l'image que l'on s'en fait, hélas, communément, un être aussi humain que ces gens que nous pouvons croiser dans la rue. Parfois, sur les gradins je vois une femme d'une grande beauté et je pense automatiquement : « Quel beau modèle pour un photographe. » Il m'arrive, en faisant le tour de l'arène, de porter mes regards sur les spectateurs et d'apercevoir un personnage qui me semble « fait pour Picasso ». Picasso m'a révélé cette prodigieuse vertu qu'Oscar Wilde attribuait à la création artistique : la nature imite l'art.

Voilà l'essence de notre amitié qui est parvenue à l'intimité, à cette humanité que l'on s'efforce de ravir aux personnages célèbres. Ce n'est que lorsque nous redevenons nous-mêmes, ce n'est que lorsque nous avons terminé notre exhibition dans la terrible vitrine qu'est notre profession, que nous pouvons nous sentir réellement à l'aise. C'est alors que j'ai senti la révélation de ce « duende » que m'inspire la personnalité de Pablo Picasso. A cela, à notre tutoiement, il y a une raison suprême : l'amitié. L'art n'a jamais eu d'âge et ses officiants non plus. (...)

Maintenant, je sais pourquoi je revêts l'habit de lumière : sans doute pour accéder à l'essentiel. Si le torero, en revêtant l'habit de lumière, a réussi à inspirer un Goya ou un Picasso, il peut se dire satisfait d'avoir rempli une mission d'importance. Trêve d'explications, ne cherchons plus de raisons. Il suffit. (...)

Dominguin, *Toros y toreros,* 1951

Picasso et la politique

Révolutionnaire dans son art, Picasso le fut également dans sa vie et ses idées politiques. A tous les événements tragiques qui secouent le XXe siècle, il répond à sa façon pour défendre la liberté. Dans les années 1936-1939, le drame de la guerre civile qui déchire l'Espagne s'exprime dans Guernica, *devenu un des plus célèbres tableaux du siècle. Plus tard, pendant la Seconde Guerre mondiale, à un officier nazi qui lui demande, en lui montrant une reproduction de* Guernica *: « C'est vous qui avez fait cela ? », il répondra : « Non, c'est vous ! »*

L'affaire Guernica

En mai 1937, alors que Picasso peignait *Guernica,* il déclara ses sentiments dans un communiqué publié deux mois plus tard, au moment de l'exposition, sur les affiches républicaines espagnoles de New York. Quelque temps auparavant, la rumeur avait couru que Picasso était franquiste. Il répondit en ces termes : « La guerre d'Espagne est le combat des forces réactionnaires contre le peuple, contre la liberté. Toute ma vie d'artiste n'a été qu'une lutte quotidienne contre les réactionnaires et contre la mort de l'art. Comment a-t-on pu croire un instant que je pourrais être en accord avec les réactionnaires et avec la mort ? Quand la guerre civile a commencé, le gouvernement démocratique espagnol légalement élu m'a nommé directeur du musée du Prado. J'ai immédiatement accepté le poste. Dans le tableau sur lequel je travaille en ce moment et que j'appellerai *Guernica,* et dans toutes mes récentes œuvres d'art, j'ai exprimé clairement mon horreur du groupe de militaires qui a fait sombrer l'Espagne dans un océan de douleur et de mort... »

L'adhésion au Parti communiste

Octobre 1944, la page une du journal *l'Humanité,* le quotidien du Parti communiste, annonce l'adhésion de Pablo Picasso. La nouvelle fait grand bruit. Paris est libéré depuis un mois seulement. Picasso déclare aux nombreux journalistes américains qui se pressent dans l'atelier de la rue des Grands-Augustins :

« Mon adhésion au Parti communiste est la suite logique de toute ma vie, de toute mon œuvre. Car, je suis fier de le dire, je n'ai jamais considéré la peinture comme un art de

VISIONS DE GUERNICA EN FLAMMES

A Galdacano 22 trimoteurs allemands ont mitraillé la population

Un de nos photographes vient de rentrer de Guernica avec ces photographies qui montrent la ville historique en flammes et un vieillard de 81 ans que les bombes ont blessé. On lira dans la page 3 le récit de notre reporter photographe, les informations et les depêches de notre envoyé spécial Mathieu Corman

La une du journal *Ce Soir,* le 1er mai 1937.

simple agrément, de distraction ; j'ai voulu par le dessin et par la couleur, puisque c'était là mes armes, pénétrer toujours plus avant dans la connaissance du monde et des hommes, afin que cette connaissance nous libère tous chaque jour davantage ; j'ai essayé de dire, à ma façon, ce que je considérais comme le plus vrai, le plus juste, le meilleur, et c'était naturellement toujours le plus beau, les plus grands artistes le savent bien.

« Oui, j'ai conscience d'avoir toujours lutté pour ma peinture, en véritable révolutionnaire. Mais j'ai compris maintenant que cela ne suffit pas ; ces années d'oppression terrible m'ont démontré que je devais combattre non seulement par mon art, mais de tout moi-même...

« Et alors, je suis allé vers le Parti communiste sans la moindre hésitation, car au fond j'étais avec lui depuis toujours. Aragon, Éluard, Cassou, Fougeron, tous mes amis le savent bien ; si je n'avais pas encore adhéré officiellement, c'était par "innocence" en quelque sorte, parce que je croyais que mon œuvre, mon adhésion de cœur étaient suffisantes, mais c'était déjà mon Parti. N'est-ce pas lui qui travaille le plus à connaître et à construire le monde, à rendre les hommes d'aujourd'hui et de demain plus lucides, plus libres, plus heureux ? N'est-ce pas les communistes qui ont été les plus courageux aussi bien en France qu'en URSS ou dans mon Espagne ? Comment aurais-je pu hésiter ? La peur de m'engager ? Mais je ne me suis jamais senti plus libre au contraire, plus complet ! Et puis, j'avais tellement hâte de retrouver une patrie : j'ai toujours été un exilé, maintenant je

Cette page a été entièrement composée par PICASSO

l'Humanité 20 FRANCS

MAGAZINE DU PARTI COMMUNISTE FRANÇAIS

Hebdomad. - 27 déc. 1953

5e année - N° 274

DIMANCHE

★ EN PAGES 2 et 3 :

Nos échos et commentaires sur l'élection présidentie

★ EN PAGES 4 et 5 :

Notre grande revue de fin d'anr

3.12.53.

Illustration pour la une de *l'Humanité* du 27 décembre 1953.

STALINE et la FRANCE

par ARAGON

Je n'ai rien de plus profond à offrir...

Ce portrait de Staline réalisé par Picasso en 1953 fut à l'origine d'une polémique au sein du Parti : le style en était jugé trop fantaisiste.

ne le suis plus ; en attendant que l'Espagne puisse enfin m'accueillir, le Parti communiste français m'a ouvert les bras, j'y ai trouvé tous ceux que j'estime le plus, les plus grands savants, les plus grands poètes, et tous ces visages d'insurgés parisiens si beaux que j'ai vus pendant les journées d'août, je suis de nouveau parmi mes frères ! »

Picasso n'est pas officier dans l'armée française,

Que croyez-vous que soit un artiste ? Un imbécile qui n'a que des yeux s'il est peintre, des oreilles s'il est musicien, ou une lyre à tous les étages du cœur s'il est poète, ou même, s'il est un boxeur, seulement des muscles ? Bien au contraire, il est en même temps un être politique, constamment en éveil devant les déchirants, ardents ou doux événements du monde, se façonnant de toute pièce à leur image. Comment serait-il possible de se désintéresser des autres hommes, et, en vertu de quelle nonchalance ivoirine, de se détacher d'une vie qu'ils vous apportent si copieusement ? Non, la peinture n'est pas faite pour décorer les appartements. C'est un instrument de guerre offensive et défensive contre l'ennemi.

Simone Téry
les Lettres françaises, 24 mars 1945

Album Souvenir

Intime ou homme public, Picasso a été immortalisé par les plus grands photographes de son temps, comme Brassaï, Doisneau, Dora Maar ou Man Ray autant que par ses proches.

Picasso à Barcelone en 1906.

Picasso rue Schoelcher, en 1916.

Dans son atelier du boulevard de Clichy, autour de 1910.

Avec le chien Kasbek sur la plage de Golfe-Juan.

Paulo sur un âne, en 1923.

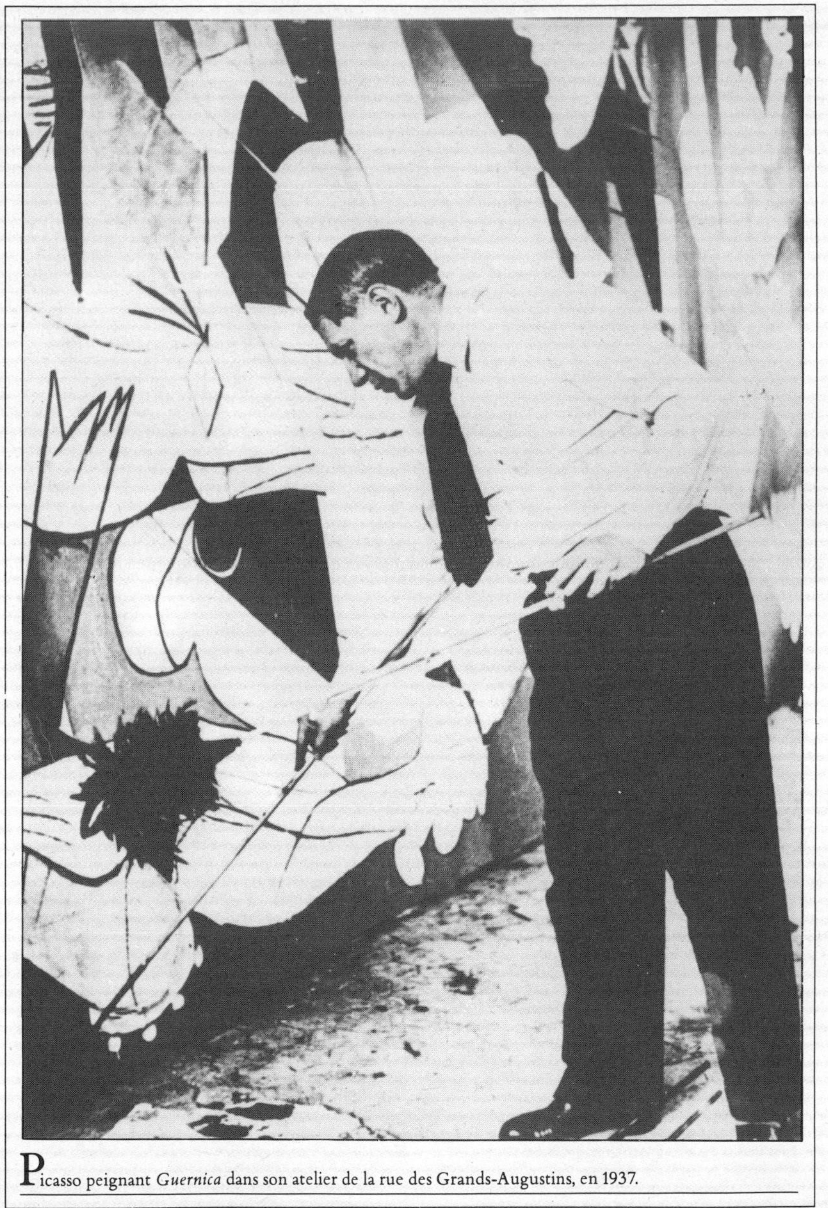

Picasso peignant *Guernica* dans son atelier de la rue des Grands-Augustins, en 1937.

Picasso préside une corrida à Nîmes. A sa gauche Jean Cocteau, à sa droite Jacqueline Roque. Derrière lui, Paloma, Maïa et Claude.

Picasso à "La Galloise", en 1951.

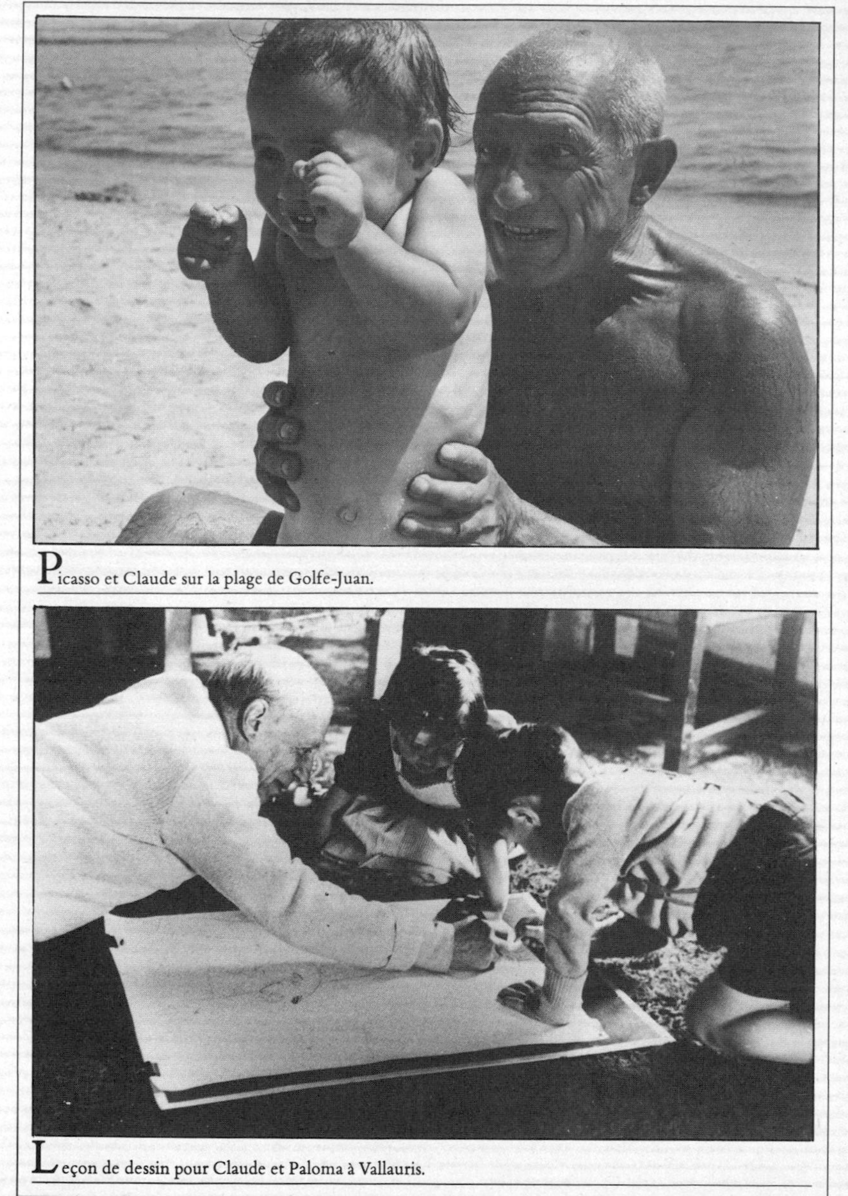

Picasso et Claude sur la plage de Golfe-Juan.

Leçon de dessin pour Claude et Paloma à Vallauris.

Picasso et Jacqueline à “La Californie”, en 1967.

Les lieux de Picasso

Picasso fut un itinérant... sédentaire. Il aimait changer de lieu, mais il aima aussi follement les maisons. De Malaga à Notre-Dame-de-Vie en passant par le Bateau-Lavoir et Vauvenargues, voici ses lieux d'ancrage ou, si l'on préfère, ses points de départ.

L'atelier des Grands-Augustins, Paris (VIe).

La maison natale de Picasso à Malaga.

La maison Delcros à Céret (Pyrénées-Orientales).

La propriété de Boisgeloup (Val-d'Oise).

L'atelier du Tremblay-sur-Mauldre (Yvelines).

La villa "La Galloise" à Vallauris (Alpes-Maritimes).

L'atelier de Madoura à Vallauris (Alpes-Maritimes).

Le château de Vauvenargues (Bouches-du-Rhône).

Le mas Notre-Dame-de-Vie à Mougins (Alpes-Maritimes).

La villa "La Californie" à Cannes (Alpes-Maritimes).

Le Bateau-Lavoir, Paris (XVIIIe).

L'atelier de la rue Schoelcher, Paris (XIVe).

L'atelier du boulevard Raspail, Paris (XIVe).

Les musées Picasso

Trois musées qui lui sont exclusivement consacrés, des dizaines d'œuvres réparties dans 9 villes de France, des centaines d'œuvres dans les plus grands musées du monde. Après avoir été le peintre le plus productif, Picasso est à présent sans conteste le peintre le plus admiré sur toute la planète !

Le musée de Barcelone

Avec ses 3 000 dessins, lithos, gravures, sculptures, toutes données par son ami Jaime Sabartès et par Picasso lui-même, ce musée a une valeur biographique. Situé à deux pas des *Ramblas,* cette artère animée qui enchantait Picasso dans sa jeunesse, le musée a élu domicile dans un splendide palais, celui de Berenguer de Aguilar.

Enfant, Picasso vécut à Barcelone avec son père et sa mère. C'est là qu'il étudia, à l'École des beaux-arts, avant de venir s'installer à Paris, en 1901. Les œuvres sont classées par ordre chronologique. Dans les salles somptueuses, la visite commence par un dessin exécuté en 1890, quand il avait neuf ans. Outre de nombreuses œuvres de jeunesse, il y a des peintures des périodes bleue et rose, des variations autour des *Ménines* de Vélasquez.

Le musée d'Antibes

En 1946, Picasso rencontre à Golfe-Juan le conservateur du musée Grimaldi à Antibes, Dor de la Souchère. Venu avec l'intention de lui demander un dessin pour le musée, Dor de la Souchère propose à Picasso d'installer pour lui un immense atelier sous les combles du château. Le lendemain même, Picasso vient visiter les lieux et repart avec les clefs dans la poche de son short. D'août à septembre 1946, Picasso travaille sans relâche dans les grandes salles fraîches. Par la suite, il revient régulièrement revoir « son » musée. Vers la fin de sa vie, Picasso demande un jour à Dor de la Souchère : « Le musée ne pourrait-il pas s'appeler Picasso plutôt que Grimaldi ? » Depuis, 100 000 visiteurs du monde entier découvrent chaque année le musée Picasso.

L'Hôtel Salé, à Paris

Le musée Picasso de Paris a ouvert ses portes le 28 septembre 1985. Situé dans un des plus vieux quartiers de Paris, rue de Thorigny, l'Hôtel Salé est un splendide hôtel particulier du XVIIe siècle.

La collection est composée de 203 peintures, 158 sculptures, 16 papiers collés, 88 céramiques, plus de 3000 dessins et estampes. Ces œuvres sont celles qui appartenaient à Picasso jusqu'à sa mort avant qu'elles ne soient cédées à l'État par ses héritiers, en dation;le musée abrite aussi les trésors de sa collection personnelle, avec des chefs-d'œuvre de Cézanne, Matisse, Douanier Rousseau, Braque, Derain, Renoir.

Avec ses 3000 mètres carrés, il n'a pas la taille du musée d'Orsay ou de La Villette. Mais les collections qu'il accueille le placent parmi les plus précieux musées du monde.

1881

Naissance de Pablo Ruiz Blasco Picasso (25 octobre).

1895

« La Lonja », École des beaux-arts de Barcelone.

Invention du cinématographe.

1899

Rencontre avec Sabartès.

1900

Première exposition, à *El Quatre Gats.*
Premier départ pour Paris.

1901

Exposition à la galerie Vollard.
Rencontre avec Max Jacob.

Mort de Toulouse-Lautrec.

1903

Mort de Gauguin.

1904

Installation au Bateau-Lavoir.

1905

Rencontre avec Apollinaire et Gertrude et Léo Stein.
Début de sa liaison avec Fernande Olivier.

Théorie de la relativité par Einstein. *Trois Essais sur la théorie de la sexualité,* de Freud.

1906

Vollard achète plusieurs toiles à Picasso.
Rencontre avec Matisse.

Modigliani arrive à Paris.
Mort de Cézanne.

1907

Les Demoiselles d'Avignon.
Rencontre avec Kahnweiler.

Ouverture de la galerie Kahnweiler.
L'Évolution créatrice, de Bergson. Clemenceau impose l'*Olympia* de Manet au Louvre.

1910

Rencontre avec Léger.

Mort du douanier Rousseau.

1912

Début de sa liaison avec Marcelle Humbert (Eva).
Installation à Montparnasse.
Premiers papiers collés avec Braque.

Du cubisme, de Gleizes et Metzinger.

1913

Mort du père de Picasso.

Peintres cubistes, d'Apollinaire.
A la recherche du temps perdu, de Proust.

1914

Déclaration de guerre à l'Allemagne (2 août).

1915

Picasso est le parrain de Max Jacob lors de son baptême.
Rencontre avec Cocteau.
Mort d'Eva.

1916

Installation à Montrouge.
Rencontre avec Diaghilev.

Bataille de Verdun (25 février).

1917

Départ pour Rome, pour réaliser les décors et costumes de *Parade*.	Première de *Parade* au Châtelet (18 mai).
Rencontre avec Olga Khoklova.	Mort de Degas.
	Révolution soviétique.
	Mort de Rodin.

1918

Mariage avec Olga.	Bombardement de Paris (23 mars).
	Mort d'Apollinaire.
	Signature de l'armistice (11 novembre).
	Manifeste dada.

1921

Naissance de Paul, dit Paulo.	Hitler devient chef du parti national socialiste.
Les Trois Musiciens.	

1924

Un « Hommage à Picasso » est signé par la plupart des surréalistes dans *Paris-Journal* (20 juin).	Manifeste du surréalisme.
	La France reconnaît l'URSS.
	Premier numéro de *la Révolution surréaliste* (1er décembre).

1925

La Danse.	Mort d'Erik Satie.
Picasso présent à la première exposition de peinture surréaliste (novembre).	Breton publie, dans *la Révolution surréaliste,* « le Surréalisme et la peinture », avec une reproduction des *Demoiselles.*

1926

Rencontre avec Christian Zervos.	Mort de Monet.
Série des *Guitares.*	

1927

Rencontre avec Marie-Thérèse Walter.	Mort de Juan Gris.
	Naissance du cinéma parlant.

1929

Rencontre avec Dali.	Krach boursier de New York.
	Fondation du Musée d'Art moderne de New York.
	Mort de Clemenceau.

1935

Olga quitte le domicile conjugal avec Paulo.	
Naissance de Maria de la Conception (Maïa), fille de Marie-Thérèse Walter et Picasso.	
Publication des poèmes de Picasso dans *Cahiers d'art.*	
Débuts de l'amitié Éluard-Picasso.	

1936

Rencontre avec Dora Maar.	Victoire du « Frente popular » en Espagne (16 février).
Premiers séjours à Mougins.	Victoire du Front populaire en France (mai).
	Déclenchement de la guerre civile en Espagne (18 juillet).

1937

Installation rue des Grands-Augustins.	Bombardement de Guernica (26 avril).
Sueño y Mentira de Franco.	Début de la guerre sino-japonaise (21 juillet).
Guernica.	*L'Espoir,* de Malraux.

1939

Mort de la mère de Picasso.	Prise de Barcelone par les franquistes (26 janvier)
Mort de Vollard.	Hitler entre à Prague (15 mars).
Pêche de nuit à Antibes.	Signature du pacte germano-soviétique (23 août).

1940	
	Signature de l'armistice franco-allemand (21 juin). Mort de Paul Klee. Gouvernement de Vichy.

1941	
Le Désir attrapé par la queue.	

1943	
Rencontre avec Françoise Gilot. Visite de la Gestapo chez Picasso.	Mort de Soutine.

1944	
Adhésion au parti communiste.	Mort de Mondrian. Robert Desnos est arrêté par la Gestapo. Max Jacob meurt au camp de Drancy. Débarquement anglo-américain en Normandie (6 juin). Libération de Paris (25 août). Mort de Kandinsky.

1945	
Premières lithographies chez Mourlot.	Capitulation de l'Allemagne (7 mai).

1946	
Rétrospective Picasso au Musée d'Art moderne de New York. Travaille au Musée d'Antibes.	Mort de Gertrude Stein.

1947	
Naissance de Claude, fils de Françoise Gilot et de Picasso. Premières céramiques à Vallauris.	*La Psychologie de l'art,* d'André Malraux. Mort de Rosenberg.

1949	
La Colombe de la paix. Naissance de Paloma, second enfant de Françoise Gilot et Picasso.	Proclamation de la République populaire chinoise (1er octobre).

1950	
Picasso reçoit le prix Lénine de la Paix.	Début de la guerre de Corée.

1952	
La Guerre et la paix. Les Quatre Petites Filles.	*Les Chaises,* de Ionesco.

1953	
Portrait de Staline dans *les Lettres françaises* (5 mars). Séparation d'avec Françoise Gilot.	Mort de Staline (5 mars). *En attendant Godot,* de Beckett. Chute de Diên-Biên-Phu (7 mai).

1954	
Rencontre avec Jacqueline Roque. *Les Femmes d'Alger.*	Mort de Derain. Mort de Matisse.

1955	
Mort d'Olga Picasso. Acquisition de *la Californie* à Cannes. Suite des *Femmes d'Alger.* Rétrospective officielle Picasso à Paris. Clouzot tourne *le Mystère Picasso.*	Suicide de Nicolas de Staël.

1956	
Grande saison de corridas. Picasso et neuf intellectuels et artistes communistes réclament des éclaircissements sur les événements de Budapest.	Déstalinisation en URSS. Intervention soviétique contre le soulèvement de Budapest.

1957	Début des *Ménines.*	Guerre d'Algérie.
1958	Acquisition du château de Vauvenargues. "Peinture de l'Unesco".	
1959	Premiers *Déjeuners sur l'herbe d'après Manet.*	Malraux ministre de la Culture.
1960	Suite des *Déjeuners.*	
1961	Mariage avec Jacqueline Roque. Installation à *Notre-Dame-de-Vie* à Mougins. Fêtes du 80e anniversaire de Picasso à Vallauris (28 et 29 octobre).	Youri Gagarine, premier homme dans l'espace.
1962	Picasso reçoit le prix Lénine de la Paix.	Accords d'Évian.
1963	*Le Peintre et son modèle.* Ouverture du musée Picasso à Barcelone.	Mort de Braque. Mort de Cocteau. Assassinat de Kennedy (22 novembre).
1964		Guerre du Vietnam. La "Nouvelle Figuration" à Paris. Chute de Khrouchtchev (14 octobre).
1966	Nombreuses manifestations dans le monde entier pour le 85e anniversaire de Picasso. Rétrospectives au Grand et au Petit Palais à Paris.	Révolution culturelle en Chine. Affaire Ben Barka. Mort de Breton.
1967	Picasso refuse la Légion d'honneur.	Fondation du Centre national d'art contemporain à Paris. Prise du pouvoir par les colonels en Grèce (21 avril). "Guerre des six jours" israélo-égyptienne.
1968	Mort de Sabartès.	Émeutes à Paris (mai). Occupation de la Tchécoslovaquie par les troupes soviétiques (21 août).
1970	Donation au musée de Barcelone de la presque totalité des œuvres de jeunesse.	Mort d'Yvonne Zervos. Mort de Christian Zervos.
1971	Nombreuses manifestations dans le monde entier pour le 90e anniversaire de Picasso.	
1973	Mort de Picasso (8 avril).	

Témoignages

Brassaï
Conversations avec Picasso, Paris, Gallimard, 1964.

Cocteau, Jean
Le Rappel à l'Ordre, Paris, Stock, 1926.

Duncan, David Douglas
Le Petit Monde de Pablo Picasso, Paris, Hachette, 1959.

Gilot, Françoise et Lake, Carlton
Vivre avec Picasso, Paris, Calman-Lévy, 1965.

Jacob, Max
Souvenirs sur Picasso, Paris, Cahiers d'Art, 1927.

Kahnweiler, Daniel-Henry
Confessions esthétiques, Paris, Gallimard, 1963.

Malraux, André
La Tête d'obsidienne, Paris, Gallimard, 1974.

Olivier, Fernande
Picasso et ses amis, Paris, Stock, 1933.

Parmelin, Hélène
Picasso dit..., Paris, Gonthier, 1966.

Sabartès, Jaime
Picasso, Portraits et Souvenirs, Paris, Louis Carré et Maximilien Vox, 1946.

Stein, Gertrude
Autobiographie d'Alice B. Toklas, Paris, Gallimard, 1934.

Catalogues raisonnés

Bloch, Georges
Picasso. Catalogue de l'œuvre gravé et lithographié, Berne, Kornfeld et Klipstein, 1968-1972, 3 vol.

Czwikliter, Christophe
290 affiches de Picasso, Paris, Librairie Fischbacher, 1968, 2 vol.

Daix, Pierre et Boudaille, Georges
Picasso 1900-1906, Catalogue raisonné de l'œuvre peint, Paris, Bibliothèque des Arts, 1961.

Daix, Pierre et Rosselet, Joan
Le cubisme de Picasso, Catalogue raisonné de l'œuvre peint 1907-1916, Neuchâtel, Ides et Calendes, 1979.

Geiser, Bernhard
Picasso peintre-graveur, Berne, Geiser, 1933-1968, 2 vol.

Mourlot, Fernand
Picasso lithographe, Monte-Carlo, André Sauret, 1949-1964, 4 vol.

Spies, Werner
Les Sculptures de Picasso, Lausanne, Clairefontaine, 1971.

Zervos, Christian
Pablo Picasso, Paris, Cahiers d'Art, 1932-1978, 33 vol.

Monographies

Boudaille, Georges et Moulin, Raoul-Jean
Picasso, Paris, Nouvelles Éditions Françaises, 1971.

Cabanne, Pierre
Le siècle de Picasso, Paris, Denoël, 1975, 2 vol.

Cassou, Jean
Pablo Picasso, Somogy, 1975.

De Champris, Pierre
Picasso. Ombre et Soleil, Paris, Gallimard, 1960.

Cirlot, Juan-Eduardo
Picasso. Naissance d'un génie, Paris, Albin-Michel, 1972.

Cocteau, Jean
Picasso, Paris, Stock, 1923.

Daix, Pierre
La Vie de Peintre de Pablo Picasso, Paris, le Seuil, 1977.

Descargues, Pierre
Picasso, Paris, Éditions Universitaires, 1956.

Diehl, Gaston
Picasso, Paris, Flammarion, 1960.

Duncan, David Douglas
Les Picasso de Picasso, Lausanne, Édita, 1961.

Elgar, Frank et Maillard, Robert
Picasso, Paris, Hazan, 1955.

Éluard, Paul
A Pablo Picasso, Genève, Les Trois Collines, 1944.

Fermigier, André
Picasso, Paris, Livre de Poche, 1969.

Lassaigne, Jacques
Picasso, Paris, Somogy, 1949.

Level, André
Picasso, Paris, Crès, 1928.

Leymarie, Jean
Picasso. Métamorphoses et Unité, Genève, Skira 1971.

Palau y Fabre, José
Picasso vivant (1881-1907), Paris, Albin-Michel, 1981.

Penrose, Roland
La Vie et l'Œuvre de Picasso, Paris, Grasset, 1961.
Picasso, coll. Génies et Réalités, Paris, Hachette, 1967.
Picasso 1881-1973, Londres, Eleck, 1973.

Raynal, Maurice
Picasso, Genève, Skira, 1953.

Reverdy, Pierre
Pablo Picasso, Paris, Nouvelle Revue Française, 1924.

Stein, Gertrude
Picasso, Paris, 1938, 2e éd. 1978.

Tzara, Tristan
Picasso et les chemins de la connaissance, Paris, Skira, 1948.

Uhde, Wilhelm
Picasso et la tradition française, Paris, Les Quatre Chemins, 1928.

Vallentin, Antonina
Pablo Picasso, Paris, Albin-Michel, 1957.

COUVERTURE

OUVERTURE

CHAPITRE I

CHAPITRE II

CHAPITRE III

CHAPITRE IV

CHAPITRE V

CHAPITRE V

CHAPITRE VI

CHAPITRE VI

CHAPITRE VII

Abréviations : h : haut ; b : bas ; m : milieu ; g : gauche ; d : droite. dep : dépliant.

TÉMOIGNAGES ET DOCUMENTS

REMERCIEMENTS

Nous remercions les personnes et les organismes suivants pour l'aide qu'ils nous ont apportée dans la réalisation de cet ouvrage : Jean-Loup Charmet, photographe. Laurence Marceillac, documentaliste au musée Picasso, Paris. Ludovic Beaugendre, documentaliste à la Réunion des Musées nationaux. Yves de Fontbrune, de la galerie Cahiers d'Art. Les éditions Calmann-Lévy, Cercle d'art, Denoël. Les publications Cahiers d'art, l'Humanité, les Lettres françaises.

CRÉDITS PHOTOGRAPHIQUES

Agence Scala, Florence 49, 51. Archives Cahiers d'Art, Paris 52h, 56, 143, 160. Artephot/Ziolo, Paris 30, 31, 32, 55, 59. Bibliothèque de l'Opéra, Paris 158, 159. Droits réservés 28-29, 33dep, 35, 37, 50hg, 71, 94h, 103h, 104-105, 119, 121b, 128, 129b, 129h, 133, 139, 140, 141, 146, 150, 151, 152b, 152h, 153, 154, 155, 164, 166, 168, 169, 172h, 173. Edimédia, Paris 33dep, 40-41. E.T. Archives, Londres 48h, 76. Gamma/Quinn, Paris 176b. Gilberte Brassaï 101, 135, 147. Giraudon, Paris 26, 33dep, 34, 43, 58, 61, 116, 118. L'Humanité, Paris 167. Magnum/Capa, Paris 106-107, 176h. Magnum/Burri, Paris 107d, 175h, 177. Mas, Barcelone 96dep, 97dep. MNAM, Paris 44, 68-69. Musée Picasso, Paris 17b, 19h, 20h, 38, 39, 54, 57, 77h, 88h, 170bg, 172b, 178-179. Musée Picasso, Barcelone, 18-19, 25. Roger Viollet, Paris 78, 90-91, 136, 144. Rapho/Ronis, Paris 124. Rapho/Doisneau, Paris 126-127, 131, 163, 175b. Rapho/Fouchenault, Paris 165. RMN, Paris 21, 22d, 22-23, 27, 36, 42, 45, 46, 47, 48b, 50mg, 50bg, 50mg, 52-53, 62-63, 64hd, 64bd, 64bg, 64hg, 65, 66, 67, 68, 70, 73, 74-75, 79, 80hg, 80hd, 81, 84, 85, 86, 87, 88b, 89, 91h, 93, 94-95, 98-99, 100, 103b, 105, 106h, 108h, 108bd, 108bg, 109, 110, 111, 112, 113, 114, 115, 121h, 122-123, 125, 156, 157, 162, 170d, 171, 181. Staatgalerie, Stuttgart, 82-83. Photothèque Spadem, Paris 16. Top/Doisneau, Paris 117, 130. Top/Willi, Paris 20b, 58, 60.

Table des matières